MON COURS DE CUISINE

MON COURS DE CUISINE

KEDA BLACK

PHOTOGRAPHIES DE FRÉDÉRIC LUCANO • STYLISME DE SONIA LUCANO

MARABOUT

AVANT-PROPOS

Ce livre est un recueil de recettes indispensables : les basiques indémodables remis au goût du jour (steak frites, poulet rôti, soupe au potiron, Saint-Jacques poêlées, île flottante…) et de nouveaux classiques bien dans leur jus (tagine de lapin, moussaka light, pâtes au pesto, crumble de courgettes, cheesecake…). Voici 80 recettes que vous devriez bien maîtriser une fois pour toutes.

Pour ne plus en rater aucune, une méthode infaillible : à chaque étape cruciale de la recette, une photo. Pas à pas, le mystère de la béarnaise élucidé. Avec force illustrations, le BA-ba du bœuf bourguignon. Regardez donc la mayonnaise qui monte en diaporama, le gaspacho mixé en direct ou encore la farine qui se mélange à l'œuf qui, ensuite, se mélange avec le lait et fait la pâte à crêpe qui s'étale dans la poêle puis se retourne et qui se mange avec de la confiture. Miam !

Et voilà. Au cuisinier débutant, les rudiments, à celui du dimanche, plus de savoir-faire culinaire, au plus expérimenté, de nouvelles idées... En images et en toute simplicité !

SOMMAIRE

LES CLASSIQUES

LES SALADES

BASIQUE

LES ŒUFS

STEAK & CO

01

LA MAYONNAISE

POUR 300 ML • PRÉPARATION : 15 MINUTES

2 jaunes d'œufs
1 cuillerée à café de sel
1 cuillerée à café de moutarde de Dijon, si on aime

300 ml d'huile : un mélange 1/3 tournesol, 2/3 huile d'olive
1-2 cuillerées à café de jus de citron
Poivre du moulin

POUR UN AÏOLI :
Écraser 2 à 5 gousses d'ail avec le sel dans le bol, tout au début, avant de mettre les jaunes d'œufs.

01

1

2

3

4

5

6

1	Mettre les jaunes dans un grand saladier.	2	Ajouter le sel et la moutarde.	3	Mélanger avec un fouet.
4	Verser une goutte d’huile, fouetter. Continuer goutte à goutte, jusqu’à ce que le mélange épaississe.	5	Au tiers de l’huile, continuer en versant en mince filet, sans cesser de fouetter.	6	Lorsque la sauce est bien épaisse, l’assaisonner avec un peu de jus de citron et du poivre.

02

LA VINAIGRETTE CLASSIQUE

POUR 4 PERSONNES • PRÉPARATION : 5 MINUTES

1 cuillerée à soupe de vinaigre de vin rouge
1 ou 2 cuillerées à café de moutarde
1 quart de cuillerée à café de sel
Quelques tours de moulin à poivre
3 cuillerées à soupe d'huile d'olive

02

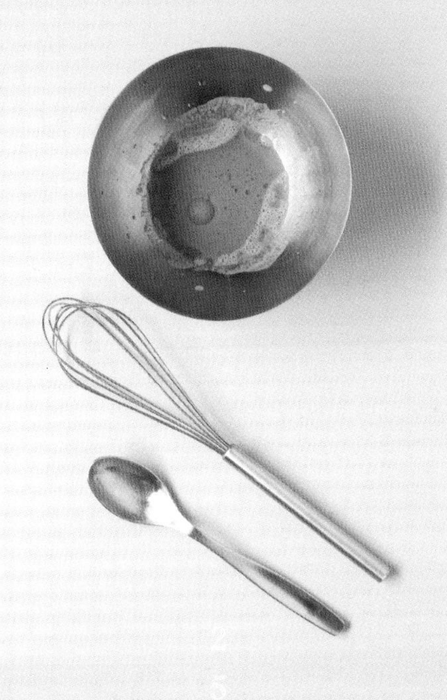

1	Mélanger le vinaigre et le sel, ajouter la moutarde.	2	Ajouter l'huile petit à petit en remuant.	3	Poivrer.
OPTION SHAKER					
4	Mettre tous les ingrédients dans un pot à confiture vide.	5	Fermer le couvercle et secouer.	6	C'est prêt.

03

LA VINAIGRETTE À L'AIL

VARIANTE DE LA VINAIGRETTE

1 petite gousse d'ail
1 cuillerée à soupe de jus de citron
3 cuillerées à soupe d'huile d'olive
1 quart de cuillerée à café de sel
Poivre du moulin

Écraser avec une petite cuillère (ou dans un mortier avec un pilon) l'ail épluché et le sel, pour obtenir une sorte de pâte.

Ajouter alors le citron, bien mélanger, puis ajouter l'huile, poivrer modérément.

LA VINAIGRETTE TOUT CITRON

VARIANTE DE LA VINAIGRETTE

2 cuillerées à soupe de jus de citron
4-5 cuillerées à soupe d'huile d'olive
1 demi-cuillerée a café de sel
Le zeste du citron

☛ On mélange tout !

UNE SALADE VERY VERTE

POUR 4 PERSONNES • PRÉPARATION : 15 MINUTES

1 salade au choix : feuille de chêne verte, laitue
1 demi-botte de cerfeuil haché
4 brins de basilic haché
4 brins de persil plat haché
4 brins d'aneth haché
4 brins de menthe hachée
4 oignons de printemps hachés, avec le vert
Une vinaigrette

CUSTOMISER LA VINAIGRETTE :
Par exemple un peu de crème fraîche pour une romaine, de bleu écrasé pour une frisée, d'huile de noix pour une scarole…

05

1 2

3 4

1	Couper la base de la salade, ôter et jeter les feuilles abîmées, détacher les feuilles saines et les plonger dans l'eau froide.	2	Égoutter et faire un deuxième bain. Ne pas laisser tremper la salade dans l'eau. Essorer.
3	Déchirer les feuilles et les mettre dans un saladier.	4	Assaisonner avec une vinaigrette et remuer. Ajouter les herbes et les oignons hachés. Remuer de nouveau et servir.

06

LA BÉCHAMEL

POUR 600 ML • PRÉPARATION : 2 MINUTES • CUISSON : 15 MINUTES

40 g de farine
50 g de beurre
600 ml de lait
Sel et poivre du moulin

Une pincée de muscade fraîchement râpée
1 noix de beurre ou une cuillerée à soupe de crème fraîche

1	Faire fondre le beurre doucement dans une casserole, sur feu moyen.	2	Hors du feu, ajouter la farine d'un coup.	3	Mélanger avec une cuillère en bois.
4	Remettre sur feu moyen et ajouter le lait petit à petit (1 puis 2 cuillerées à soupe à la fois).	5	Une fois tout le lait incorporé, laisser cuire la béchamel 7-8 minutes sur feu très doux.	6	Ajouter la muscade, saler et poivrer. Incorporer le beurre ou la crème, pour une sauce plus riche.

07

LE SOUFFLÉ AU FROMAGE

POUR 2 PERSONNES • PRÉPARATION : 15 MINUTES • CUISSON : 35 MINUTES

300 ml de béchamel
Du beurre pour le moule
75 g de fromage râpé : Mimolette, Cantal, tomme de brebis…

1 pincée de piment de Cayenne
1 pincée de graines de carvi ou de cumin écrasées (facultatif)
3 œufs

AU PRÉALABLE :
Beurrer un moule à soufflé d'une contenance d'un litre.
Préchauffer le four à 190 °C.

1	Incorporer le fromage et les épices à la sauce béchamel à peine refroidie.	2	Séparer les jaunes des blancs d'œufs.
3	Fouetter les jaunes et les incorporer à la sauce.	4	Fouetter les blancs en neige bien ferme. ➢

07

5	Incorporer deux cuillerées de blancs en neige dans la sauce, en fouettant. Puis incorporer le reste très délicatement, en soulevant le mélange, avec une grande cuillère en métal ou une écumoire.	**CONSEIL USTENSILE** ☛ L'écumoire est l'outil pratique pour incorporer des blancs en neige dans une préparation (salée ou sucrée) : elle permet de « couper » le mélange sans l'écraser.

6	Verser dans le moule et glisser au four pour 35 minutes. Servir immédiatement - avec une petite salade verte.

CONSEIL

Pour que le soufflé gonfle bien, ne pas ouvrir la porte du four pendant la cuisson !

CONSEIL

On peut garder un peu de fromage à parsemer à la surface : cela forme une croûte censée aider le soufflé à gonfler.

VARIANTES

On peut bien sûr changer de fromage : essayer avec du bleu, du cantal…

08

LA PÂTE BRISÉE

POUR 4 PERSONNES • PRÉPARATION : 15 MINUTES • REPOS AU FRAIS : 1 HEURE MINIMUM

250 g de farine
1 cuillerée à café de sel

125 g de beurre doux ou de beurre salé (dans ce cas oublier le sel)
Pour un moule de 23 cm de diamètre

À L'AVANCE :
La pâte brisée peut se préparer deux jours à l'avance. Elle se congèle aussi très bien.

1 2 3

4 5 6

1	Mettre la farine, le sel et le beurre coupe en morceaux dans un grand bol.	2	Frotter du bout des doigts le beurre dans la farine pour obtenir des « miettes ».	3	Ajouter un demi-verre d'eau froide et l'incorporer avec un couteau.
4	La pâte va s'amalgamer.	5	Finir de rassembler la pâte avec les mains, en faire une boule mais surtout ne pas trop la travailler.	6	Mettre la pâte dans un sachet plastique ou un film et la mettre à reposer au moins une heure au frigo.

09

LA QUICHE LORRAINE

POUR 4 PERSONNES • PRÉPARATION : 15 MINUTES • CUISSON : 50 MINUTES

Une pâte brisée
150 g de poitrine fumée
3 gros œufs
300 ml de crème liquide entière ou légère
Une pincée de muscade
Sel et poivre
Du beurre pour le moule

AU PRÉALABLE :
Beurrer le moule, préchauffer le four à 180 °C. Découper la poitrine fumée en lardons.

1	Faire revenir les lardons dans une poêle.	2	Foncer le moule avec la pâte dans le moule. Piquer de coups de fourchette, mettre au frigo en attendant.	3	Mettre les lardons sur le fond de pâte.
4	Mélanger œufs, lait, muscade, saler modérément, poivrer.	5	Verser cet appareil à quiche dans le moule, sur les lardons.	6	Enfourner pour 35-40 minutes, le temps que le dessus soit doré.

10

PIZZA MARGARITA "FRAÎCHE"

POUR 2 PERSONNES • PRÉPARATION : 10 MINUTES • CUISSON : 15 MINUTES

1 livre de pâte à pain achetée chez un bon boulanger
250 g de mozzarella de bufflonne

4 brins de basilic
250 ml de sauce tomate (voir recette 20)

AU PRÉALABLE :
Préchauffer le four au maximum.
Garder la pâte au frigo, mais la sortir 1 heure avant de préparer la pizza.

1	Étaler la pâte au rouleau ou avec les mains sur un plan de travail fariné. Si elle se rétracte, la laisser reposer un peu avant de la reprendre pour l'étaler davantage.	2	Poser le rond de pâte sur une plaque à four. Étaler la sauce tomate.
3	Répartir la mozzarella déchirée dessus.	4	Faire cuire la pizza au four pendant 10-15 minutes, selon l'épaisseur de la pâte. Garnir de basilic déchiré et servir.

ŒUF COQUE & PAIN D'ÉPICES

POUR 1 PERSONNE • PRÉPARATION : 5 MINUTES • CUISSON : 10 MINUTES

1 œuf
SelBeurre
Pain et pain d'épices pour les mouillettes

VARIATION :
Très classe : des copeaux de poutargue pour accompagner l'œuf et ses mouillettes.
Penser aussi aux gressins comme mouillettes.

1	Poser les œufs dans l'eau froide.	2	Porter à ébullition et compter 3 minutes.
3	Ouvrir l'œuf avec un couteau, d'un coup sec.	4	Servir l'œuf coque avec des mouillettes beurrées : baguette ou pain d'épices !

ŒUF MOLLET ET ASPERGES

POUR 1 PERSONNE • PRÉPARATION : 5 MINUTES • CUISSON : 13 MINUTES

1 œuf
Fleur de sel
Huile d'olive

Asperges cuites (ou salade de pissenlits, purée…)

IDÉES :
Délicieux bien sûr sur une salade de pissenlits avec des lardons, dans la niçoise…

1 2

3 4

1	Poser les œufs dans l'eau froide.	2	Porter à ébullition et compter 6 minutes.
3	Passer l'œuf mollet sous l'eau froide, écaler.	4	Servir sur les asperges, avec un filet d'huile d'olive et de la fleur de sel.

OMELETTE CORSE

POUR 1 PERSONNE • PRÉPARATION : 5 MINUTES • CUISSON : 5 MINUTES

3 œufs
15 g de beurre
Sel et poivre du moulin

2 cuillerées à soupe de brocciù – à défaut, un autre fromage frais ou du cottage cheese
2 brins de menthe

IDÉES :
Varier à volonté les fromages et les herbes.

1	Casser les œufs, briser les jaunes avec une fourchette, saler et poivrer.	2	Faire fondre le beurre, sur feu moyen à fort. Lorsqu'il mousse, verser les œufs.	3	Lorsque le fond de l'omelette est pris, pencher la poêle pour laisser couler l'œuf non cuit sur la surface de la poêle.
4	Ajouter le fromage émietté et la menthe sur l'omelette.	5	Plier l'omelette. Éteindre le feu et laisser cuire encore 2 à 4 minutes.	6	Faire glisser sur une assiette.

DES ŒUFS BROUILLÉS

POUR 1 PERSONNE • PRÉPARATION : 5 MINUTES • CUISSON : 10 MINUTES

20 g de beurre
4 œufs
Sel et poivre
4 brins de ciboulette

IDÉES :
Garnir les œufs brouillés avec du saumon fumé (ou de la truffe pour la version superluxe), du Tabasco et de la coriandre pour un brunch mexicain…

1	Faire fondre le beurre dans une poêle, sur feu doux.	2	Casser les œufs dans un bol, les mélanger sans les fouetter, saler et poivrer.
3	Verser les œufs dans la poêle et les faire cuire en les remuant sans cesse avec une cuillère en bois, sur feu très doux, jusqu'à obtenir une consistance crémeuse.	4	Servir avec la ciboulette hachée.

LE STEAK TOUT SIMPLE

POUR 2 PERSONNES • PRÉPARATION : 2 MINUTES • CUISSON : 4 MINUTES

2 steaks de 1 cm d'épaisseur, de 200 g environ chacun
1 cuillerée à soupe d'huile d'olive
Sel et poivre

AU PRÉALABLE :
Huiler légèrement les steaks, poivrer.

CUISSON SAIGNANTE :
La viande doit céder légèrement à une pression du doigt – ou alors couper pour vérifier que l'intérieur est à son goût.

1	Chauffer une poêle à fond très épais. Poser les steaks en les pressant avec une spatule, cuire 2 minutes.	2	Retourner. Ajouter du sel et cuire encore 2 minutes, toujours en pressant la viande avec la spatule.	3	Vérifier la cuisson. Mettre la viande dans une assiette.
4	Remettre la poêle sur le feu, ajouter un demi-verre d'eau.	5	Racler les sucs, laisser l'eau bouillir et s'évaporer un peu.	6	Verser cette « sauce » sur la viande.

16

LA BÉARNAISE

POUR 2 PERSONNES • PRÉPARATION : 5 MINUTES • CUISSON : 10 MINUTES

2 petites échalotes
50 ml de vinaigre d'estragon ou de vin blanc
4 grains de poivre
3 brins d'estragon

2 jaunes d'œufs
150 de beurre très mou

AU PRÉALABLE :
Éplucher et hacher finement l'échalote.

1	Mettre l'échalote dans une petite casserole avec vinaigre, poivre et estragon.	2	Porter à ébullition, laisser réduire. Enlever les herbes et les grains de poivre.	3	Mettre les jaunes d'œufs dans un petit bol sur un bain-marie frémissant.
4	Ajouter le vinaigre réduit aux jaunes, en fouettant.	5	Ajouter le beurre petit cube par petit cube, en fouettant. Couper le feu une fois la moitié du beurre incorporée.	6	Finir d'ajouter le beurre hors du feu. La sauce doit devenir onctueuse et épaisse. Saler.

LA SAUCE AU BLEU

POUR 2 PERSONNES • PRÉPARATION : 2 MINUTES • CUISSON : 5 MINUTES

100 g de fromage bleu
200 ml de crème fraîche entière
Poivre du moulin

1 2
3 4

1	Mettre le fromage avec une ou deux cuillerées de crème dans une petite casserole.	2	Faire fondre doucement.
3	Ajouter le reste de crème, porter à ébullition sans cesser de tourner.	4	Ôter du feu dès que la sauce nappe la cuillère. Poivrer.

LA SAUCE AU POIVRE VERT

POUR 2 PERSONNES • PRÉPARATION : 2 MINUTES • CUISSON : 10 MINUTES

2-3 cuillerées à café de grains de poivre vert en conserve
100 ml de vinaigre de vin blanc
1 échalote
200 ml de crème fraîche épaisse
2 cuillerées à café de moutarde de Dijon

1	Mettre le vinaigre dans une poêle avec un petit verre d'eau. Porter doucement à ébullition.	2	Émincer finement l'échalote, la mettre dans le vinaigre bouillant puis laisser réduire quelques minutes jusqu'à obtenir la valeur de deux cuillerées à soupe.
3	Jeter l'échalote. Mettre le poivre dans la réduction de vinaigre. Remettre sur le feu, ajouter crème et moutarde. Porter à ébullition.	4	Laisser réduire à tout petit feu pendant 2-3 minutes. Goûter, saler si nécessaire.

19

LES FRITES

POUR 2 PERSONNES • PRÉPARATION : 15 MINUTES • CUISSON : 10 MINUTES

4 grosses pommes de terre à frites/purée :
Bintje, BF 15
2 litres d'huile végétale spéciale friture

AVEC LA FRITEUSE :
Sortir le panier à friture de l'appareil.
Chauffer l'huile dans la friteuse.
La température doit atteindre les 150 °C.

TEST :
Plonger une frite dans l'huile : elle ne doit pas couler, mais flotter et faire des bulles.

1

2

3

4

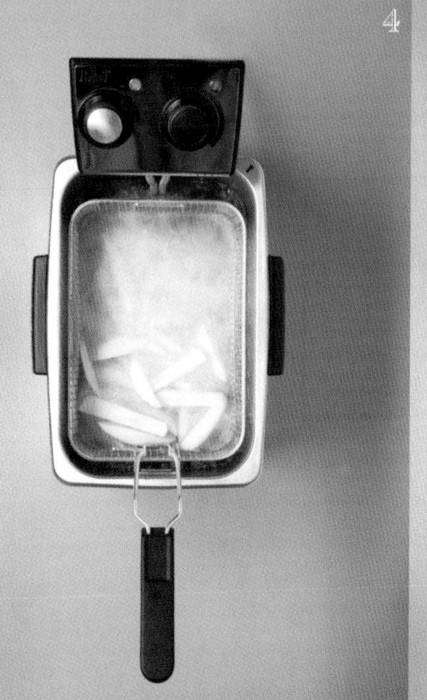

5

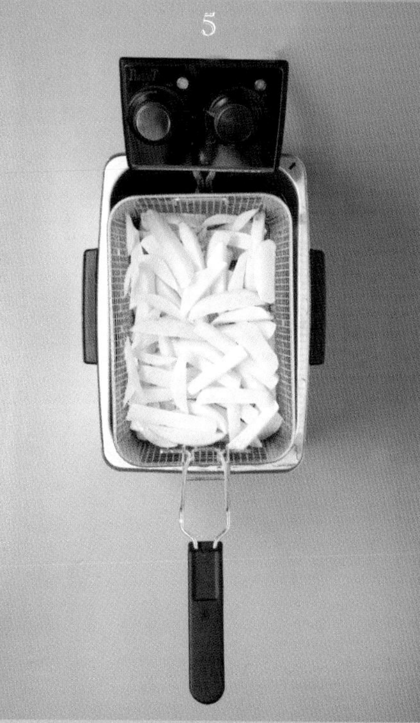

6

1	Éplucher les pommes de terre.	2	Les couper en frites d'une épaisseur de 1 cm à peu près.	3	Mettre dans un saladier d'eau froide pour éviter que la chair ne s'oxyde.
4	Sécher les frites dans du papier absorbant. Mettre dans le panier et plonger doucement dans l'huile.	5	Laisser frire 5 minutes. Ne pas surcharger la friteuse. Procéder plutôt en plusieurs fois.	6	Remettre les frites à dorer pour 3-4 minutes. Égoutter sur du papier absorbant, saler et manger.

PÂTES ET RIZ

LES SAUCES

LES PÂTES

LE RIZ

LA SAUCE TOMATE CERISE

POUR 2 PERSONNES • PRÉPARATION : 5 MINUTES • CUISSON : 25 MINUTES

1 cuillerée à soupe d'huile d'olive
1 livre de tomates cerise
1 oignon haché
1 gousse d'ail écrasée et finement hachée

Sel et poivre du moulin
2 brins de thym et/ou 4 brins de basilic
1 cuillerée à café de sucre (facultatif)
1 cuillerée à café de beurre (facultatif)

Les tomates cerise donnent une sauce intéressante, avec plus de texture (et souvent plus de goût). Mais on peut bien sûr utiliser de grosses tomates pour une sauce plus onctueuse.

1 Faire chauffer l'huile dans une poêle.
Faire revenir l'oignon et l'ail sur feu moyen, pendant 5 minutes, sans les laisser colorer.

OPTION ÉPICE

Saupoudrer oignons et ail d'une cuillerée d'un mélange d'épices style curry ou ras-el-hanout : une sauce tomate très bonne aussi avec des œufs.

POUR UNE PIPERADE

Faire revenir en même temps que les oignons un ou deux poivrons rouges émincés.
À la fin, ajouter deux œufs dans la sauce, faire cuire comme des œufs brouillés : on obtient une sorte de piperade.

➢

20

		ATTENTION
2	Ajouter les tomates, les feuilles de thym et de basilic, saler et poivrer, bien mélanger et laisser cuire à découvert pendant une vingtaine de minutes sur feu moyen doux.	☛ Pour des tomates “normales”, il vaut mieux les plonger dans l’eau bouillante puis les peler.

3

La sauce doit bien réduire. Goûter, rectifier l'assaisonnement, ajouter un peu de sucre si besoin.

REMARQUES

Le sucre « aide » un peu les tomates si elles n'ont pas reçu tout à fait assez de soleil…
Le beurre donne une sauce très onctueuse.

IDÉES

Mixer la sauce si on la préfère bien lisse.
Pâtes, pizza, la sauce sert à tout. Très bonne aussi sur des tranches d'aubergines grillées.
Ajouter 150 ml de lait de coco et 1 pincée de safran en filaments et voici un bon « court-bouillon » pour faire cuire un filet de poisson, des crevettes…

LA BOLOGNAISE RAPIDE

POUR 4 PERSONNES • PRÉPARATION : 5 MINUTES • CUISSON : 30 MINUTES

1 cuillerée à soupe d'huile d'olive
2 oignons
1 gousse d'ail
250 g de viande de bœuf hachée
100 g de pancetta ou de poitrine fumée découpée en lardons
Une boîte de 450 g de tomates
2 cuillerées à café de concentré de tomates
4 brins de basilic
Sel et poivre

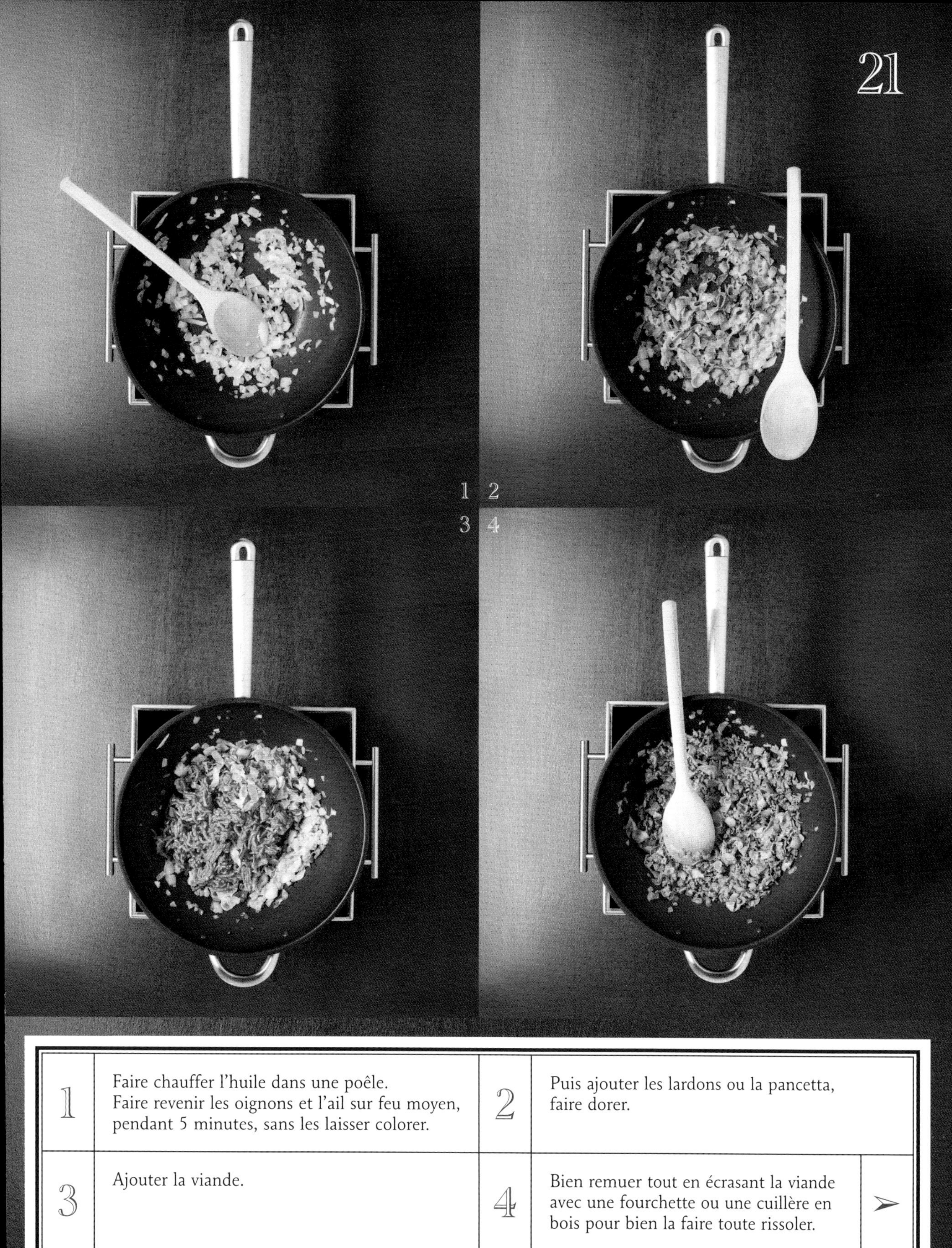

1	Faire chauffer l'huile dans une poêle. Faire revenir les oignons et l'ail sur feu moyen, pendant 5 minutes, sans les laisser colorer.	2	Puis ajouter les lardons ou la pancetta, faire dorer.	
3	Ajouter la viande.	4	Bien remuer tout en écrasant la viande avec une fourchette ou une cuillère en bois pour bien la faire toute rissoler.	➢

5	Ajouter les tomates en boîte, le concentré, les feuilles de basilic. Saler et poivrer, bien mélanger.	**REMARQUE** Le concentré n'est pas absolument indispensable mais ajoute un peu de « profondeur » de goût.

EN ÉTÉ

Prendre de vraies tomates : les peler (après les avoir plongées quelques minutes dans l'eau bouillante) et les couper en quartiers.

EN HIVER

Choisir des boîtes de tomate de bonne qualité : les italiennes sont souvent correctes. C'est meilleur quand il n'y a pas d'acidifiant, mais juste de la tomate.

6 Couvrir et laisser mijoter 20 minutes sur feu doux.

VARIANTES

Remplacer la viande de bœuf par de la chair à saucisse. Les enfants aiment bien. Ou ajouter un verre de vin rouge corsé en même temps que les tomates.

IDÉES

Servir sur des tagliatelle, des spaghettis ou faire des lasagne, en ajoutant une béchamel par-dessus.
Farcir des courgettes rondes, évidées et rôties 25 minutes au four (200 °C), avec cette sauce.
Saupoudrer de parmesan et passer au four 20 minutes.

UN PESTO DE ROQUETTE

POUR 4 À 6 PERSONNES • PRÉPARATION : 10 MINUTES

100 g de feuilles de roquette
1 ou 2 gousses d'ail
2 cuillerées à soupe de pignons
75 ml d'huile d'olive

25 g de parmesan râpé
ou de tomme de brebis très sèche râpée
Sel

PESTO CLASSIQUE :
Utiliser évidemment du basilic.
PESTO PLUS ORIGINAL:
Prendre du pissenlit.

1	Dans un mortier, écraser la roquette, l'ail et les pignons avec un peu de sel.	**CONSEILS** ⇠Faire dorer les pignons 4-5 minutes en haut d'un four bien chaud. ⇠Mieux vaut utiliser de l'ail jeune (le goût est plus subtil). ⇠Utiliser du gros sel si l'on prépare son pesto au mortier : les grains aident à écraser ensemble tous les ingrédients.	➢

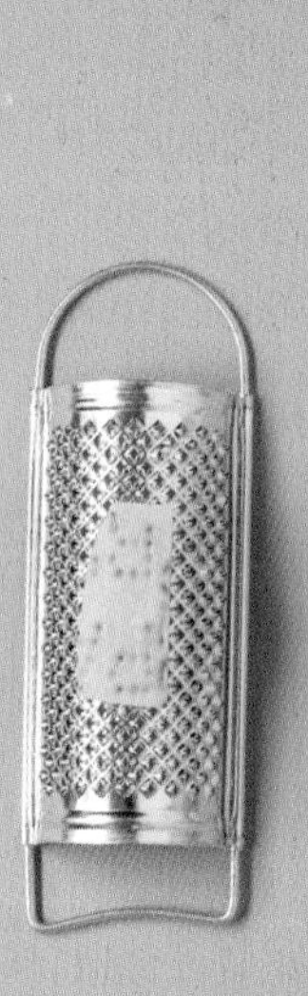

<table>
<tr><td>2</td><td>Ajouter le fromage.</td><td rowspan="2">USTENSILES
✣ Le mortier et le pilon demandent un peu d'efforts, mais la texture finale est plus intéressante qu'au robot. Procéder en plusieurs fois si le mortier est un peu petit.
✣ Les meilleurs mortiers et pilons sont les plus lourds : en pierre (magasins indiens), en marbre, voire en métal. Le bois est moins efficace.</td></tr>
<tr><td>3</td><td>Ajouter l'huile petit à petit en l'incorporant presque comme pour une mayonnaise (d'abord goutte à goutte, puis en mince filet).</td></tr>
</table>

4 C'est prêt.

CONSERVATION

Le pesto se conserve quelques jours au frais dans un pot bien fermé.

REMARQUE

On peut très bien diminuer la quantité d'huile pour un pesto plus « light ». Mais attention, si on veut le conserver quelques jours au frais, il faut une couche d'huile au-dessus pour le protéger de l'oxydation.

23

CROSTINI CHÈVRE-PESTO

VARIANTE DU PESTO

Tartiner le pesto sur une tranche de pain de campagne grillée, ajouter des tranches de fromage de chèvre frais.

IDÉES :
Très bon aussi avec des tranches de tomates fraîches ou des tomates séchées.

À faire en grandes tartines ou bien en mini (tranches de baguette) pour l'apéro.

24

PESTO PISTACHES AU MIXEUR

VARIANTE DU PESTO

Mixer 100 g de roquette, 1 ou 2 gousses d'ail, 1 pincée de sel, 2 cuillerées à soupe de pistaches et 75 ml d'huile.

Ajouter 25 g de parmesan râpé hors robot.

REMARQUE :
Les pistaches donnent un très beau vert. Mais on peut utiliser aussi des noix, noisettes, amandes…

SPAGHETTIS SAUCE TOMATE

POUR 2 PERSONNES • PRÉPARATION : 5 MINUTES • CUISSON : 10 MINUTES

200 à 300 g de sauce tomate
(ou sauce bolognaise) voir recette 20
200 g de pâtes
(ou plus ou moins selon l'appétit)

Du parmesan râpé pour servir
Sel

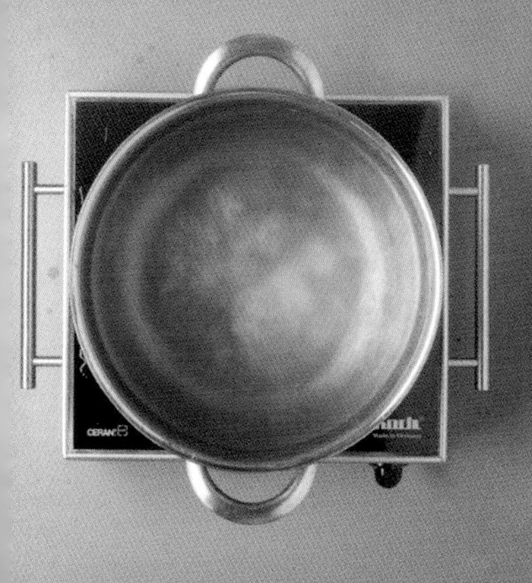

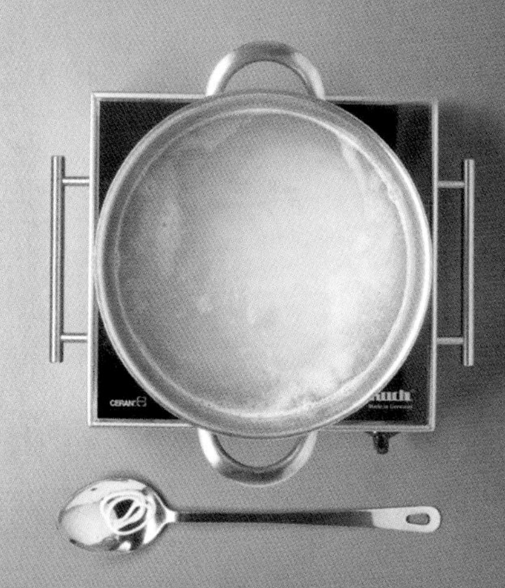

1 2 3

4 5 6

1	Faire bouillir de l'eau dans un grand faitout (compter un litre d'eau pour 100 g de pâtes). Saler généreusement.	2	Quand l'eau bout à gros bouillons, y jeter les pâtes.	3	Cuire à gros bouillons. 1 ou 2 minutes avant le temps indiqué sur le paquet, goûter pour vérifier la cuisson.
4	Quand les pâtes sont « al dente », égoutter.	5	Mélanger avec la sauce.	6	Servir avec du parmesan.

26

LASAGNES COURGE-ÉPINARDS

POUR 4 PERSONNES • PRÉPARATION : 30 MINUTES • CUISSON : 1 H 30

250 g de lasagne
2 petits potimarrons lavés
500 g d'épinards (jeunes pousses)
200 g de ricotta et 40 g de parmesan
500 ml de sauce tomate (voir recette 20
ou du coulis de tomate tout prêt
300 ml de béchamel (voir recette 6)
40 g de beurre
1 pincée de piment de Cayenne
Sel et poivre

AU PRÉALABLE :
Préchauffer le four à 200 °C.

1	Mettre les courges au four pour 40-50 minutes.	2	Pendant ce temps, rincer les épinards. Les équeuter et les trier.	3	Mettre dans une sauteuse sur feu moyen avec la moitié du beurre, sel et piment.	
4	Couvrir et laisser « tomber » les épinards 5 minutes.	5	Sortir les courges du four, les couper en deux. Éliminer les graines.	6	Détacher la chair. Assaisonner. Baisser le four à 180 °C.	➢

7 8
9 10

7	Beurrer un plat à four rectangulaire. Mettre une couche de lasagne au fond du plat.	8	Couvrir avec une couche de purée de courge, puis d'épinards.
9	Poursuivre avec la sauce tomate et la ricotta émiettée.	10	Mettre une deuxième couche de lasagne, poursuivre avec les légumes et le fromage. Finir avec une couche de lasagne, verser la béchamel et parsemer de copeaux de parmesan.

11	Faire cuire au four 30 minutes.

CONSERVATION

Ce plat se congèle très bien.

INFO PRODUIT

La courge butternut est une courge un peu allongée, avec une base ventrue, couleur coquille d'œuf à l'extérieur, orange à l'intérieur. On n'en trouve pas toujours.

PÂTES AU CITRON

POUR 4 PERSONNES • PRÉPARATION : 5 MINUTES • CUISSON : 15 MINUTES

400 g de pâtes courtes
1 citron
50 g de beurre salé
200 ml de crème liquide entière ou légère
60 g de parmesan
Sel et poivre du moulin

1	Râper le zeste du citron, presser le jus. Mesurer 2 cuillerées à soupe.	2	Faire cuire les pâtes.
3	Faire fondre le beurre à feux doux dans une petite casserole. Ajouter la crème, assaisonner, ajouter le zeste et le jus de citron. Porter doucement à ébullition et laisser cuire 2 minutes.	4	Mélanger les pâtes avec la sauce et servir avec le parmesan râpé ou en copeaux.

NOUILLES SAUTÉES « PAD THAÏ »

POUR 2 PERSONNES • PRÉPARATION : 20 MINUTES • CUISSON : 5 MINUTES

4 cuillerées à soupe d'huile végétale
150 g de tofu et 1 gousse d'ail
125 g de nouilles de soja plates
1 petite carotte

2 cuillerées à soupe de vinaigre de riz chinois ou de vinaigre blanc
2 cuillerées à soupe de sauce soja
2 œufs et 3 cuillerées à café de sucre

2 oignons de printemps
2 cuillerées à soupe de cacahuètes
1 poignée de germes de soja
3 brins de menthe

1 2
3 4

1	Couper le tofu en dés. Éplucher et émincer l'ail. Éplucher et râper la carotte. Émincer les oignons de printemps.	2	Couvrir les nouilles d'eau froide, les laisser tremper 10 minutes et les égoutter.	
3	Rôtir les cacahuètes dans une poêle chaude, sans huile, en remuant sans cesse jusqu'à ce qu'elles dorent.	4	Les mettre dans un sachet plastique et les écraser en miettes avec une bouteille ou un rouleau à pâtisserie.	➢

5	Faire chauffer le wok sur feu très fort. Ajouter l'huile. Faire frire le tofu en remuant non-stop, jusqu'à colorer toutes les faces.	6	Ajouter l'ail, les nouilles, la carotte, le vinaigre, la sauce soja, le sucre et 100 ml d'eau. Remuer sans cesse.
7	Pousser ces ingrédients sur le côté du wok. Casser les œufs dans le wok. Les remuer en cassant les jaunes pour les incorporer peu à peu au mélange de nouilles.	8	Faire cuire 2-3 minutes, en remuant et en secouant le wok.

9	Verser sur des assiettes. Parsemer de cacahuètes rôties, déposer à côté les germes de soja et les brins de menthe.	**SERVIR** Servir avec une sauce chili si l'on aime. **VARIANTES** Remplacer le tofu par des lamelles de poulet, ou encore des crevettes.

RIZ PILAF AUX ÉPICES

POUR 2 PERSONNES • PRÉPARATION : 15 MINUTES • CUISSON : 20 MINUTES • REPOS : 5 MINUTES

200 g de riz basmati
1 cuillerée à soupe d'huile
1 oignon
Les graines de 3 gousses de cardamome
1 pincée de graines de cumin
1 pincée de graines de coriandre
1 bâton de cannelle
6-7 abricots secs hachés
Sel

1 2

3 4

1	Écraser les graines de coriandre, cumin et cardamome dans un mortier (ou sur une planche à découper, avec un bocal).	2	Faire chauffer une poêle à sec (sans huile) sur feu assez fort. Faire rôtir les graines écrasées dans la poêle : cela prend à peine une minute, le temps que les épices exhalent leur arôme.	
3	Faire chauffer l'huile dans une casserole. Faire revenir l'oignon haché pendant 5 minutes, sur feu moyen.	4	Ajouter les épices rôties. Remuer.	➢

29

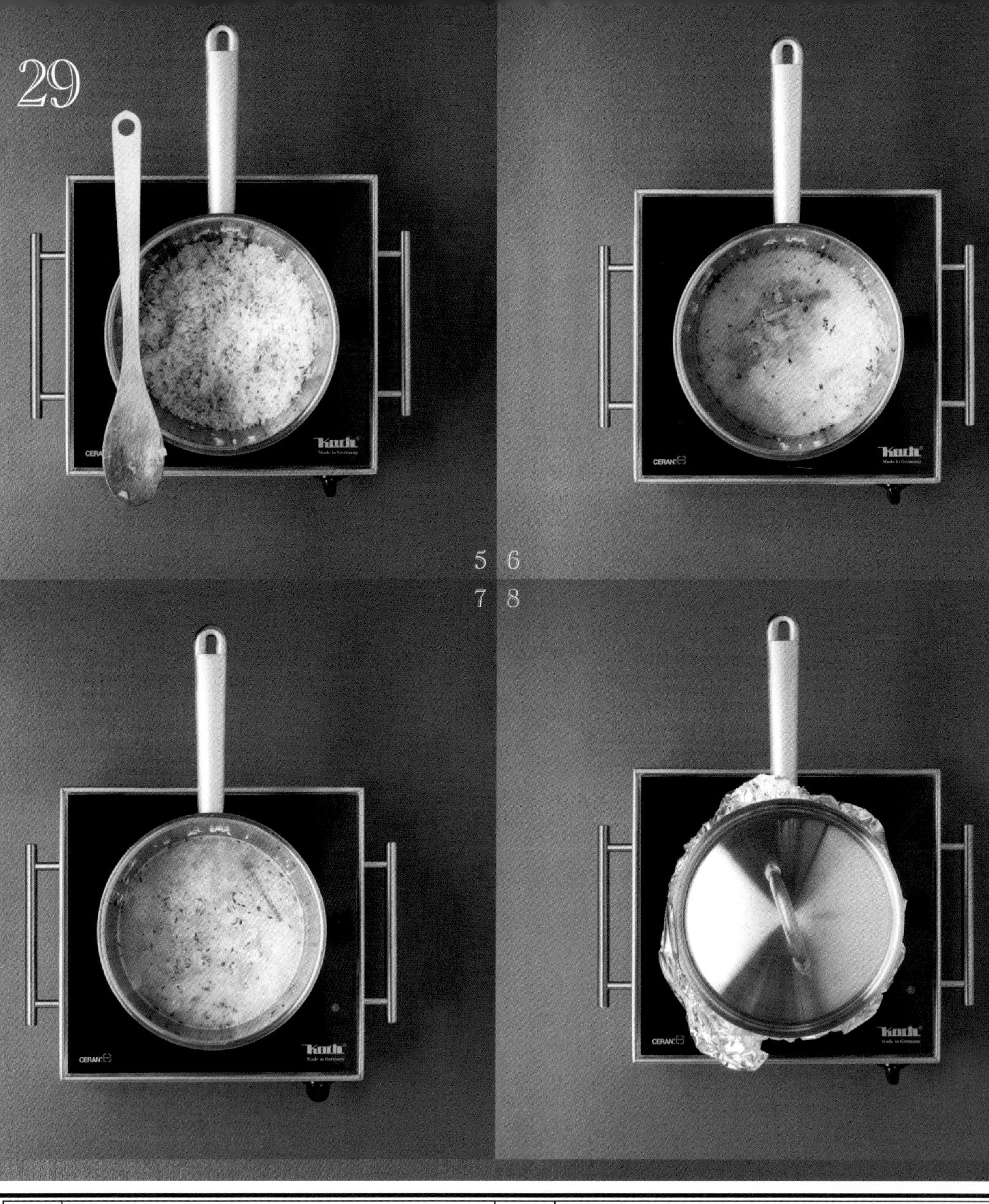

5	Ajouter le riz et bien remuer jusqu'à ce que les grains soient brillants.	6	Verser 375 ml d'eau. Ajouter le bâton de cannelle et les abricots.
7	Porter à ébullition, ajouter une généreuse pincée de sel, mélanger une fois.	8	Mettre le couvercle. S'il ne ferme pas hermétiquement, ajouter une feuille d'aluminium.

9	Baisser le feu au minimum (si on n'a pas le gaz, utiliser deux plaques : une sur feu fort au début, l'autre sur feu doux pour la cuisson). Laisser cuire 11 minutes sans jamais ouvrir le couvercle. À la fin de la cuisson, soulever le couvercle, poser un torchon propre sur le riz et laisser reposer 5 minutes. Puis aérer le riz avec une fourchette et servir.	**VARIANTES** Pour un riz jaune ajouter une pincée de filaments de safran dans l'eau chaude avant de mettre le couvercle. Riz pilaf nature : même méthode de cuisson, mais sans les épices et les abricots. On peut aussi supprimer l'oignon.

RISOTTO PRIMAVERA

POUR 2 PERSONNES • PRÉPARATION : 5 MINUTES • CUISSON : 30 MINUTES

50 g de beurre
150 g de petits légumes cuits (fèves, petits pois, pointes d'asperges...)
1 litre de bouillon de légumes ou poulet
40 g de parmesan fraîchement râpé
1 oignon ou 2 échalotes hachés
1 demi-verre de vin blanc
200 g de riz à risotto : arborio, canaroli...
1 cuillerée à soupe de crème fraîche ou de mascarpone, ou 15 g de beurre supplémentaires
Sel et poivre

1	Faire fondre la moitié du beurre dans une casserole à fond épais ou une cocotte. Mettre les légumes et les faire cuire 2 minutes sur feu moyen, en remuant. Réserver.	2	Remettre la casserole sur le feu avec le beurre restant. Faire revenir l'oignon sur feu moyen pendant cinq minutes. À part, réchauffer le bouillon.	
3	Verser le riz et mélanger doucement avec une cuillère en bois pour bien enrober le riz de gras : les grains doivent devenir brillants.	4	Ajouter le vin, laisser bouillir jusqu'à ce que le liquide soit absorbé dans le riz.	➢

5	Ajouter une louche de bouillon, remuer jusqu'à ce qu'il soit absorbé.	6	Ajouter les légumes sautés.
7	Ajouter le reste de bouillon louche par louche, en remuant à chaque fois jusqu'à absorption. Compter entre 15 et 20 minutes de cuisson.	8	Lorsque la cuisson paraît satisfaisante, ajouter le parmesan, le mascarpone (ou la crème fraîche) et battre le riz avec la cuillère.

9	Assaisonner seulement si nécessaire (le bouillon est déjà salé). Servir aussitôt.

CONSEIL PRODUIT

C'est une évidence, il faut choisir un riz italien adapté, à grains ronds.

INFO USTENSILE

La cuillère en bois trouée est adaptée au risotto, permettant de mélanger sans que le riz se colle à la cuillère. Mais on peut réussir son risotto sans !

ATTENTION

☛ La quantité de bouillon varie selon la rapidité d'absorption du riz. Il faut goûter et s'arrêter quand l'ensemble paraît crémeux mais toujours « al dente ».

LES VIANDES

3

LES RÔTIS

ÇA MIJOTE

WORLD

LE RÔTI DE BŒUF

POUR 6 PERSONNES • PRÉPARATION : 5 MINUTES • CUISSON : 1 HEURE

1 rôti de bœuf de 1 kg
2 cuillerées à soupe de farine
1 petit oignon

Sel et poivre
1 litre de bouillon de légumes reconstitué à partir de 2 cubes

AU PRÉALABLE :
Préchauffer le four à 220 °C.
Un plat à four en métal.

1 2

3 4

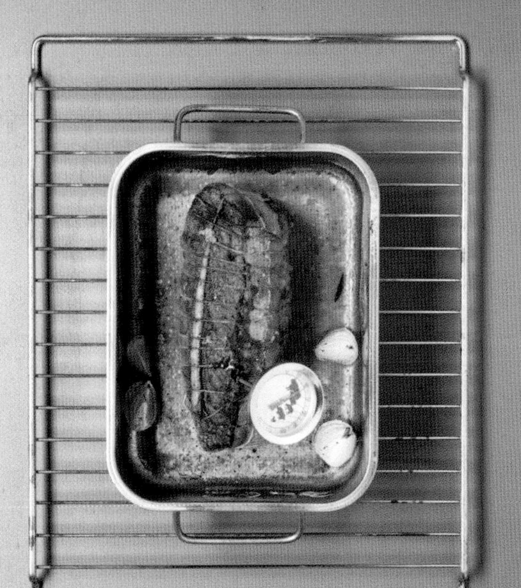

1	Placer le rôti dans un plat à four peu profond. Mettre l'oignon épluché et coupé en quatre contre le rôti. Saupoudrer le gras du rôti avec un peu de farine, le saler et le poivrer.	2	Mettre au four. Arroser le rôti avec son jus plusieurs fois pendant la cuisson.	
3	Faire cuire 30 minutes pour un rôti saignant, 45 minutes pour un rôti à point.	4	Sortir le rôti du four, le poser sur une planche et le couvrir de papier aluminium pour le garder au chaud.	➢

5 6

7 8

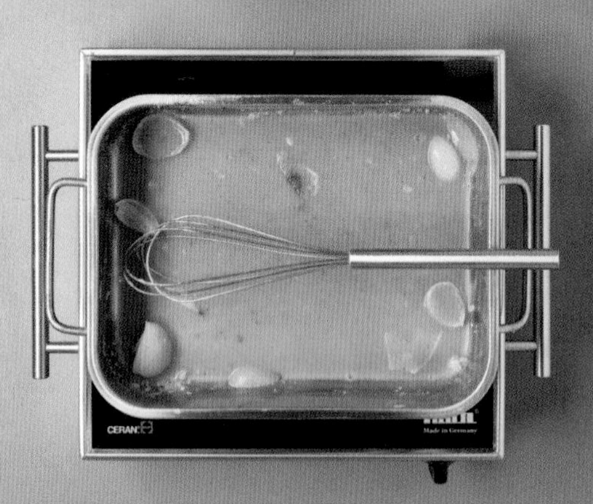

5	Pour faire une sauce, poser le plat directement sur feu moyen.	6	Saupoudrer de la farine restante. Fouetter pour incorporer la farine.
7	Faire chauffer le bouillon de légumes puis l'ajouter petit à petit dans la sauce, en fouettant. Porter à ébullition, laisser réduire sur feu doux, pendant 5 minutes environ.	8	Goûter et assaisonner.

9	Servir le rôti avec le jus.

SAUCE AU RAIFORT

Mélanger : 2 cuillerées à soupe de raifort râpé (en bocal), 1 cuillerée à soupe de crème fraîche, 1 cuillerée à café de moutarde, sel et poivre du moulin.

SERVICE

Accompagner le rôti de purée, d'un gratin dauphinois et, au printemps, d'asperges badigeonnées d'un peu d'huile d'olive et rôties 20 minutes au four.

ÉPAULE OU GIGOT D'AGNEAU

POUR 6 PERSONNES • PRÉPARATION : 10 MINUTES • CUISSON : 1 H 20

1 gigot ou une épaule d'agneau (2 kg)
6 brins de thym et 3 brins de romarin
1 tête d'ail
Sel et poivre
2 cuillerées à soupe d'huile d'olive

AU PRÉALABLE :
Préchauffer le four à 230 °C.
Laver les herbes. Effeuiller 3 brins de thym et 1 brin de romarin, hacher les feuilles.

TEMPS DE CUISSON :
Dépend du poids du gigot.
Compter 20 minutes, puis 15 minutes par 500 g.

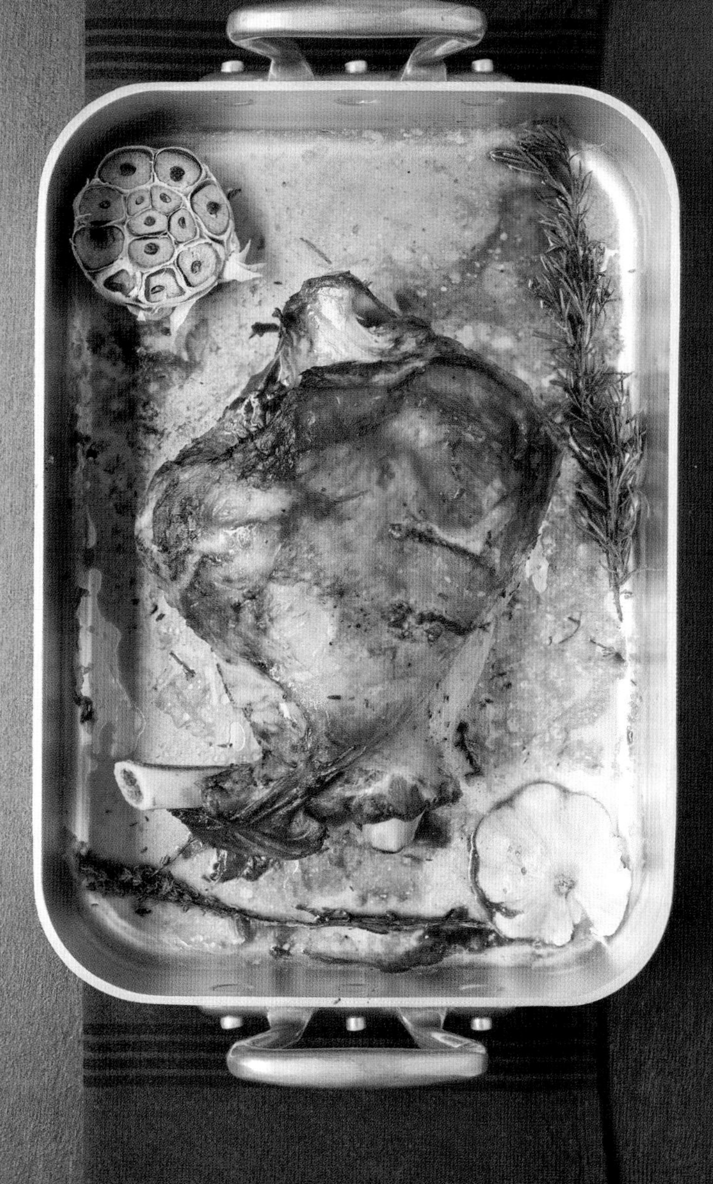

PRÉPARATION	CUISSON
Poser la pièce d'agneau dans un plat à four. Poser la tête d'ail coupée en deux à côté. Mettre les brins de thym et de romarin entiers dans le plat à four. Mélanger les herbes hachées avec l'huile, un peu de sel et de poivre et répartir ce mélange sur le rôti.	Mettre au four pour 20 minutes puis baisser la température à 200 °C. Laisser cuire encore 1 heure pour un rôti à point, légèrement rosé. Sortir le rôti du four et laisser reposer sous un papier d'aluminium pendant 10 minutes avant de servir.

POULET RÔTI

POUR 4 PERSONNES • PRÉPARATION : 15 MINUTES • CUISSON : 1 H 30

1 beau poulet (1,5 kg environ)
1 citron
1 petit morceau de gingembre
(4 cm environ)

1 ou 2 gousses d'ail
1 cuillerée à soupe d'huile d'olive
Une dizaine de pommes de terre moyennes
1 verre de vin blanc

AU PRÉALABLE :
Préchauffer le four à 200 °C.

1	Poser le poulet dans un plat à four peu profond. Prélever à l'économe 4-5 larges zestes de citron, éplucher le gingembre et le découper en lamelles. Glisser les zestes et les lamelles de gingembre sous la peau du poulet, sur les blancs.	Enduire le poulet d'huile d'olive, avec les mains. Couper le citron en deux, écraser les gousses d'ail et les placer dans la cavité du poulet avec un demi-citron. Mettre le poulet au four.	➢

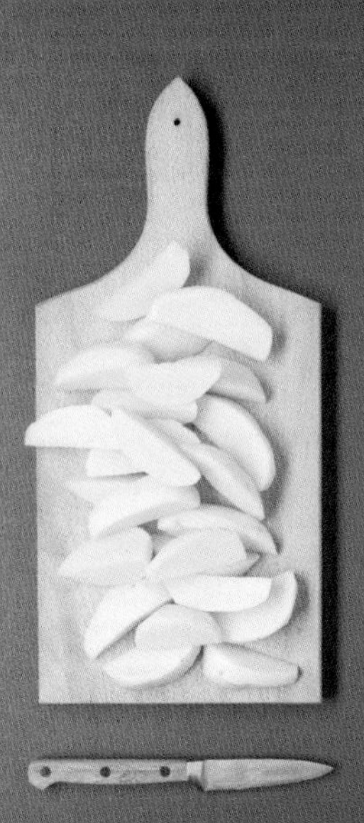

2 3

4 5

2	Éplucher les pommes de terre, les couper en grosses chips.	3	Les faire cuire 10 minutes dans une casserole d'eau bouillante. Les égoutter, les secouer un peu dans la casserole.
4	Au bout de 45 minutes, retourner le poulet et l'arroser de jus.	5	Puis mettre les pommes de terre tout autour. Elles devraient dorer en même temps que le poulet.

6	Le poulet est cuit lorsqu'il est bien doré et que les cuisses se détachent presque toutes seules.	**ASTUCES** Pour des blancs plus moelleux, on peut commencer la cuisson du poulet "à l'envers" : on le pose dans le plat avec les blancs en bas. Le gras va couler desssus et les rendre moins secs.	➢

33

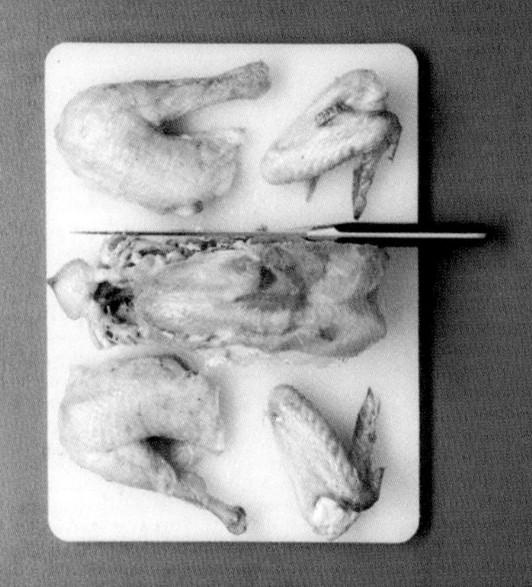

7 8
9 10

7	Pour le découper, commencer par ôter les cuisses avec un couteau.	8	Ensuite détacher les blancs. Puis les ailes.
9	Pour la sauce, mettre le plat à four sur le feu. Enlever l'excès de gras avec une cuillère, ajouter un verre de vin blanc, mettre le demi-citron et l'ail qui étaient dans le poulet.	10	Porter à ébullition tout en raclant les sucs et en écrasant ail et citron avec une cuillère en bois. Laisser réduire jusqu'à obtenir un jus sirupeux, jeter ail et citron.

11 Servir le poulet avec sa sauce.

ACCOMPAGNEMENT

Servir avec des courgettes en tranches badigeonnées d'huile d'olive, salées et rôties 20 minutes à four chaud (210 °C).

IDÉES

Le lendemain, faire une salade avec des crudités, une pomme émincée, des raisins secs et une vinaigrette agrémentée de curry et de yaourt épais.

PINTADE FARCIE

POUR 6 PERSONNES • PRÉPARATION : 20 MINUTES • CUISSON : 2 HEURES

2 pintades
600 g de champignons variés frais ou surgelés : cèpes, girolles
100 g de foie gras et 1 blanc de volaille
1 œuf et 2 tranches de pain de mie
100 ml de crème liquide
Sel et poivre
6 brins de persil plat
6 tranches fines de poitrine fumée
25 g de beurre

AU PRÉALABLE :
Préchauffer le four à 200 °C.

1	Préparer la farce : hacher le blanc de volaille, 100 g de champignons, le persil, le foie gras.	2	Mettre le pain à tremper dans la crème. Mélanger les ingrédients hachés avec la mie de pain trempée, la crème et l'œuf. Saler, poivrer.	
3	Poser les volailles dans un plat à four et les remplir de la farce. Mettre le reste de farce à côté des volailles, dans le plat.	4	Poser les tranches de poitrine sur les pintades.	➢

5	Émincer les champignons restants.	6	Faire chauffer le beurre dans une poêle, sur feu moyen à fort. Faire revenir les champignons pendant 6-7 minutes.
7	Mettre au four. Arroser les volailles à mi-cuisson.	8	Faire cuire 1 h 30 à 2 heures, selon le poids des volailles. Demander conseil au boucher.

9 Servir la volaille avec la farce et les champignons.

PRÉPARER UN JUS

Ajouter un verre de vin blanc sec ou doux dans le plat de cuisson, racler les sucs, amener à ébullition, laisser réduire.

DINDE DE NOËL

Ajouter 100 g de marrons nature sous vide à la farce pour une volaille 100 % Noël.
Servir façon Noël anglais avec des choux de Bruxelles cuits à la vapeur et revenus dans du beurre avec des marrons cuits.

BŒUF BRAISÉ À LA BIÈRE

POUR 4-6 PERSONNES • PRÉPARATION : 15 MINUTES • CUISSON : 3 HEURES

900 g de bœuf à braiser : paleron, macreuse, épaule découpée en gros dés
2 cuillerées à soupe d'huile d'olive
2 oignons en rondelles
6 carottes épluchées, en tronçons
1 cuillerée à soupe de farine
2 gousses d'ail finement hachées
2 brins de thym
1 feuille de laurier
450 ml de bière
Sel et poivre du moulin

AU PRÉALABLE :
Préchauffer le four à 140 °C.
Couper l'oignon en rondelles, émincer l'ail, découper la viande en dés, les carottes épluchées en tronçons.

1 2 3
4 5 6

1	Faire chauffer l'huile sur feu fort dans une cocotte. Faire brunir les morceaux de bœuf des deux côtés.	2	Procéder en plusieurs fois : il ne faut pas que les morceaux soient trop serrés dans la cocotte.	3	Les enlever au fur et à mesure et les mettre dans un plat.
4	Dorer les oignons pendant 4-5 minutes, sur feu assez fort.	5	Ajouter l'ail et les carottes, remuer pendant 1 minute.	6	Remettre la viande dans la cocotte. ➢

35

7 Ajouter la farine et mélanger.
Baisser le feu.

REMARQUE

La farine sert à épaissir la sauce.

VARIANTE

Pour un goulasch, en même temps que la farine, mettre une cuillerée à soupe de paprika. Puis supprimer le vin, ajouter à la place une grosse boîte de tomates puis 30 minutes avant la fin de la cuisson, un poivron rouge émincé.

8

Ajouter la bière, le thym et le laurier, et porter doucement à frémissement.

VARIANTE

Pour un bœuf bourguignon, remplacer simplement la bière par du vin rouge.

➢

9 Couvrir hermétiquement et mettre au four pour 2-3 heures.

CUISSON

On peut très bien oublier le plat dans le four à température encore plus basse. Ce n'est pas une affaire de précision.

SANS FOUR

On peut aussi faire mijoter la cocotte sur le feu mais attention, au minimum.

10	La viande est cuite lorsqu'elle se défait. Servir avec des patates bouillies et une salade verte.

OPTION

Ajouter des champignons 30 minutes avant la fin de la cuisson.

CONSEIL

un plat encore meilleur le lendemain ou le surlendemain.
Réchauffer au four préchauffé à 170 ° pendant 40 minutes ou bien sur feux doux, à frémissement léger, pendant 30 minutes.

POT-AU-FEU

POUR 4 PERSONNES • PRÉPARATION : 15 MINUTES • CUISSON : 4 HEURES

900 g de bœuf : paleron, gîte et des morceaux plus gras (plat de côtes, queue)
3 grosses carottes (ou 6 petites) et 4 gros poireaux lavés et épluchés
1 branche de céleri lavée

1 oignon et 2 gousses d'ail épluchés
1 bouquet garni
Grains de poivre et du gros sel
6 à 10 pommes de terre et 3 navets épluchés

CONDIMENTS POUR SERVIR :
moutarde
cornichons
sauce tomate…

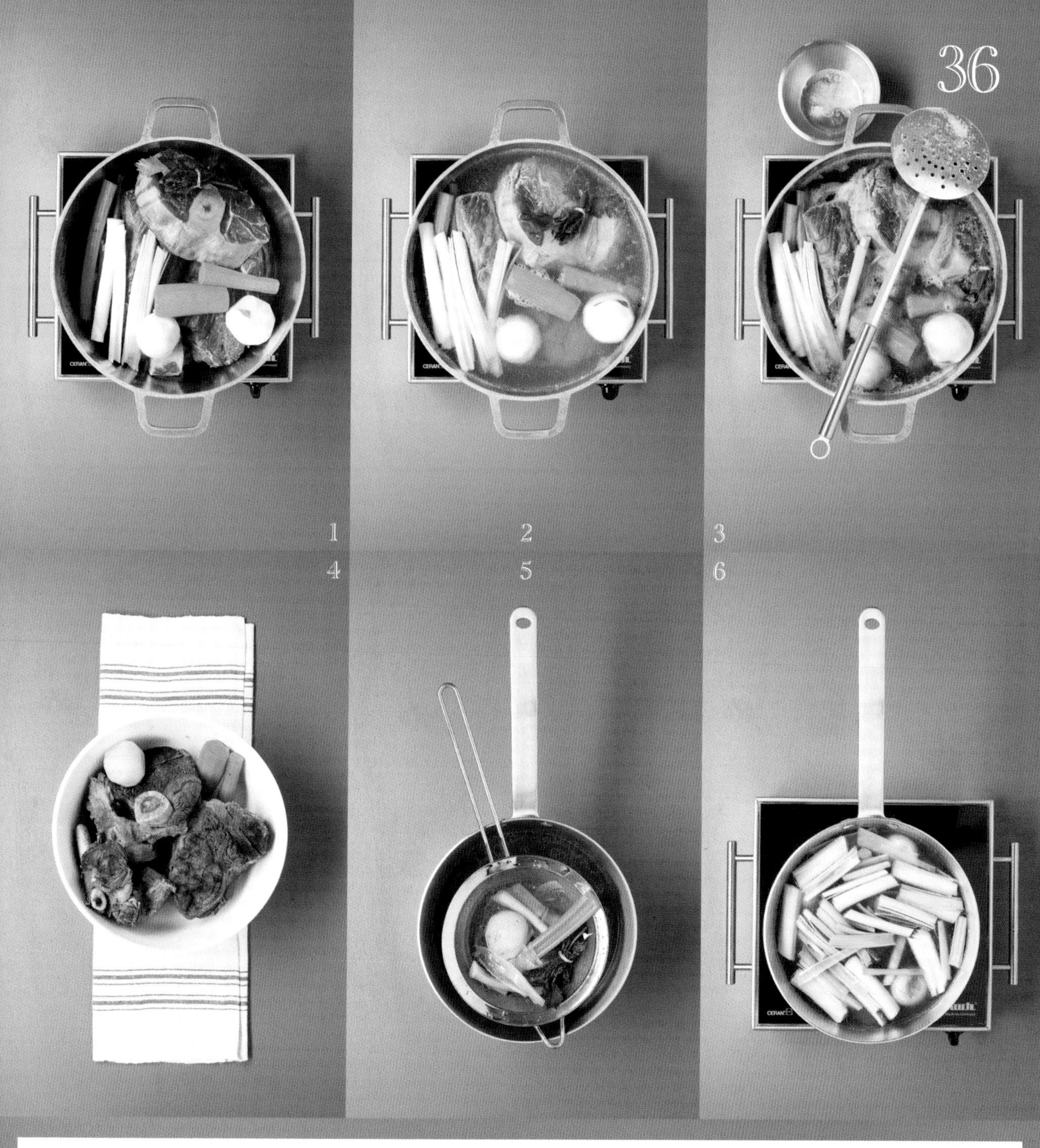

1	Mettre dans un faitout la viande, 1 carotte, 2 navets, 2 poireaux, céleri, oignon, ail, bouquet garni et poivre.	2	Couvrir d'eau et porter doucement à frémissement.	3	Laisser cuire à petits bouillons en écumant de temps en temps, pendant 3-4 heures.	
4	Une fois la cuisson terminée, enlever la viande et les légumes.	5	Filtrer le bouillon à travers une passoire, dans une casserole et jeter les aromates.	6	Saler, porter à ébullition, mettre les légumes restants.	➢

7	Faire cuire 15 à 20 minutes.

VARIANTE

Au printemps, ne pas hésiter à varier les légumes à faire cuire dans le bouillon : petits pois, haricots verts…

IDÉES

Servir le bouillon tel quel avec les légumes ou le garder comme base de soupe. On peut y faire cuire des petites pâtes alphabet.

8 Servir le bouillon, la viande et les légumes avec les condiments.

SALADE DU LENDEMAIN

Couper la viande et les légumes en morceaux. Mettre avec de la salade verte craquante, des cornichons hachés ou des grosses câpres et des tomates. Assaisonner d'une vinaigrette moutarde ou au bleu.

HACHIS PARMENTIER

Hacher la viande et les légumes restants avec un couteau, le plus finement possible. Mettre une couche de viande/légumes au fond d'un plat à gratin, couvrir d'une couche de purée, saupoudrer de chapelure et faire gratiner 20 minutes au four (190 °C).

BLANQUETTE ET RIZ THAÏ

POUR 4 PERSONNES • PRÉPARATION : 15 MINUTES • CUISSON : 1 H 15

1 kg-1,2 kg de veau en morceaux : épaule, quasi, tendron, jarret
1 os de veau si le boucher en a
3 gros poireaux et 4 à 6 carottes épluchés

1 oignon épluché et coupé en quartiers
1 gousse d'ail et 1 cuillère à soupe de farine
75 g de crème fraîche épaisse
30 g de beurre

1 demi-citron
300 g de riz thaï
1 gousse de vanille
Sel et poivre

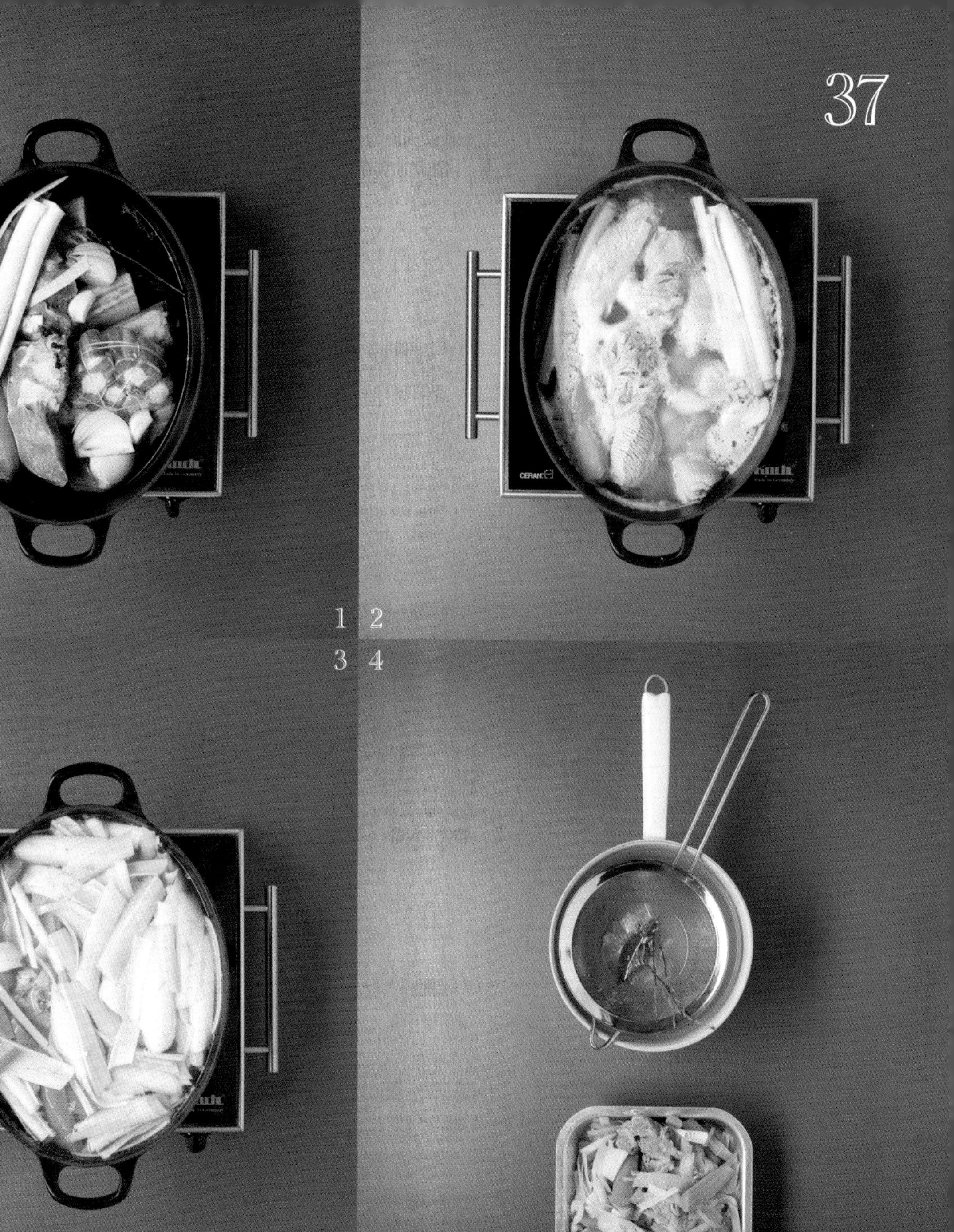

1 2
3 4

1	Mettre la viande et l'os de veau avec la gousse d'ail, l'oignon, une carotte et un poireau dans une casserole.	2	Couvrir d'eau. Porter à ébullition. Cuire à tout petits bouillons, sans couvrir.
3	Au bout de 30 minutes ajouter le reste des légumes.	4	Après 15 minutes, égoutter au-dessus d'une autre casserole pour garder le bouillon. Couvrir les légumes. ➢

5	Faire fondre le beurre dans la cocotte. Verser la farine d'un coup, mélanger. Puis 1 louche de bouillon, amener à ébullition, fouetter, continuer ainsi pour 3 ou 4 louches de bouillon.	6	Ajouter alors les graines de la gousse de vanille et la crème fraîche. Laisser cuire 5 minutes sur feu très doux, puis ajouter une cuillerée de jus de citron. Goûter et assaisonner.
7	Mesurer le riz dans une tasse, rincer, mettre dans une casserole. Ajouter 1,5 volumes d'eau froide. Porter à ébullition, saler, mélanger.	8	Ôter du feu, couvrir hermétiquement et laisser ainsi 20 minutes. Puis ôter le couvercle, aérer avec une fourchette.

9

Remettre les légumes et la viande dans la sauce, réchauffer si nécessaire puis servir avec le riz.

VARIANTE

On peut aussi cuire le riz traditionnellement, 11 minutes dans l'eau bouillante, en l'égouttant à la fin.

TAGINE DE LAPIN

POUR 4 PERSONNES • PRÉPARATION : 10 MINUTES • CUISSON : 1 H 15 MINUTES

1 lapin coupé en morceaux par le boucher
2-3 cuillerées à soupe d'huile d'olive
750 ml de jus de pruneaux et 12 pruneaux
1 petit morceau de gingembre (4 cm)
1 cuillerée à café de paprika
2 cuillerées à café de ras-el-hanout
1 pincée de filaments de safran
4 oignons et 1 bâton de cannelle
2 cuillerées à soupe de miel
6 brins de coriandre et 6 de persil plat
6 tomates séchées (facultatif)
Sel et poivre

1 2 3

4 5 6

1	Mettre le lapin dans le tagine. Verser le jus de pruneaux.	2	Ajouter les oignons hachés et l'huile d'olive.	3	Ajouter le gingembre épluché et râpé finement.	
4	Ajouter le paprika, le ras-el-hanout, le safran et le bâton de cannelle.	5	Porter doucement à frémissement, baisser le feu, saler, poivrer.	6	Couvrir et cuire à feu doux entre 40 minutes et 1 heure .	➢

7	Ajouter les pruneaux et les tomates et poursuivre la cuisson à couvert 15 minutes, puis ajouter le miel et laisser encore 10 minutes à découvert.	**OPTION** Ajouter une cuillerée de fleur d'oranger (en même temps que le miel) pour un arôme encore plus délicieux.

8	Rectifier l'assaisonnement et servir le tout parsemé d'herbes hachées.

ENTRETIEN DU PLAT À TAGINE

Huilez le plat à tagine avant de l'utiliser.

UTILISATION DU PLAT

Sur le gaz : utiliser un diffuseur de chaleur.
Sur des plaques électriques et en vitrocéramique : sur feu très doux.
Sur des plaques à induction : impossible, sauf si l'on utilise un « relais à induction » ou s'il s'agit d'un tagine en fonte comme en fait Le Creuset.
Au four : à température très basse (thermostat 4).

39

TAGINE POULET, OLIVES, CITRON

VARIANTE DU TAGINE

Procéder de la même manière pour un tagine poulet-olives-citron, en remplaçant le lapin par un poulet, les pruneaux par un citron confit haché et 15 olives, et le jus de pruneaux par de l'eau, le ras-el-hanout par du cumin. En même temps que le citron confit, ajouter 4-5 courgettes en tranches avant de poursuivre la cuisson 15 minutes.

TAGINE AGNEAU-PRUNEAUX

VARIANTE DU TAGINE

Procéder de la même manière pour un tagine d'agneau aux pruneaux, en remplaçant le lapin par 1,2 kg de filet d'agneau (ou du gigot coupé en tranches) et en mettant de l'eau à la place du jus de pruneaux.

Au moment de servir, parsemer d'herbes et aussi de 2 cuillerées à soupe de graines de sésame.

KEFTAS DE COCHON

POUR 4 PERSONNES • PRÉPARATION : 20 MINUTES • REPOS : 1 HEURE • CUISSON : 10 MINUTES

500 g de viande de porc hachée par le boucher ou de chair à saucisse
1 gros oignon blanc (ou 4 oignons de printemps)
1 gousse d'ail
1 demi-cuillerée à café de cinq-épices chinois
100 g de pancetta ou de poitrine fumée
6 brins de coriandre
Sel et poivre
2 cuillerées à soupe d'huile

1 2
3 4

1	Mettre dans un robot l'oignon, l'ail épluché et les feuilles de coriandre.	2	Mixer pas trop finement. On peut aussi hacher le tout au couteau sur une planche.	
3	Hacher la poitrine fumée.	4	Mélanger le tout avec la viande, ajouter les épices. Saler et poivrer. Mettre au frigo pour une heure.	➢

5	Former des boulettes de la taille d'une balle de golf, pas plus grosses. Aplatir légèrement.	**OPTION** ☛ Pour une version presque "thaïe" : garder la coriandre, enlever le cinq-épices, ajouter de la citronnelle hachée très fin (prendre le cœur tendre de 2 tiges) et un petit piment émincé. On pourra servir ces boulettes dans un bouillon de poulet parfumé avec de la citronnelle, du gingembre et du citron vert.

6	Faire chauffer l'huile dans une poêle, sur feu assez fort. Dorer les boulettes des deux côtés, environ 2 minutes à chaque fois. Baisser un peu le feu et laisser cuire encore environ 5 minutes. Servir avec de la sauce pimentée, de la salade, du riz ou des petits pains style pita.	**SAUCE** ☛ Une fois les boulettes cuites et l'huile jetée, on peut faire une sauce en versant dans la poêle 1 cuillerée de vin doux style muscat avec 2 cuillerées de sauce soja et 2 cuillerées de vin blanc sec. Laisser réduire quelques instants et verser sur les boulettes.

BROCHETTES DE POULET TIKKA

POUR 4 PERSONNES • PRÉPARATION : 20 MINUTES • CUISSON : 20 MINUTES • REPOS : MINIMUM 1 HEURE

500 g de poulet, un mélange de blancs et de hauts de cuisses désossés, coupés en morceaux
2 yaourts
1 petit morceau de gingembre
1 cuillerée à café de paprika
1 à 2 cuillerées à café de garam masala*
1 gousse d'ail
1 cuillerée à soupe de jus de citron
1 cuillerée à café d'huile d'olive
Sel
1 demi-citron
6 brins de coriandre

1	Éplucher et râper le gingembre. Éplucher et émincer l'ail très finement. Mélanger tous les ingrédients de la marinade : yaourt, gingembre, paprika, garam masala, citron et huile. Saler.

INFO PRODUIT

Le garam masala s'achète dans les épiceries indiennes. On peut utiliser du curry (le goût est plus banal).

GARAM MASALA MAISON

Faire rôtir dans une poêle chaude, à sec, 3 c. à soupe de grains de coriandre, 2 c. à soupe de grains de cumin, les graines de 5 gousses de cardamome, 5 clous de girofle, 1 bâton de cannelle, 1/2 c. à soupe de grains de poivre noir, 1 feuille de laurier, 1 c. à café de muscade râpée. Dès que les épices exhalent leur arôme, mixer.

➢

2	Mettre les morceaux de poulet dans la marinade, mélanger et laisser reposer (entre une 1 heure et 1 jour).	**TEMPS DE MARINADE** Ce sera bon, mais un peu moins, même si l'on n'a pas le temps de laisser mariner le poulet. Le yaourt attendrit la viande et les épices la parfument.

3	Préchauffer le gril du four ou un barbecue. Enfiler la viande sur des brochettes. Faire griller les brochettes environ 10 minutes de chaque côté, le temps que la viande soit bien dorée.	**CUISSON** Parfaite aussi au barbecue, mais attention, pas trop près de la flamme sinon la marinade brûle autour du poulet !

ACCOMPAGNEMENT

Avec la coriandre hachée et le citron coupé en quartiers et des petits pains, style naan ou pitas.

IDÉE

Ces brochettes sont parfaites froides, pour un pique-nique.

➢

UNE MOUSSAKA LIGHT

→ **POUR 4 PERSONNES** • PRÉPARATION : 25 MINUTES • CUISSON : 1 H 10 ←

2 grosses aubergines (ou 3 petites)
3-4 tomates
6 brins de persil plat lavés et effeuillés
2 grosses tranches de gigot d'agneau
1 demi-cuillerée à café de cannelle en poudre

2-3 tranches de pain rassis pour la chapelure
90 ml d'huile d'olive
Une béchamel (voir recette 02) : 30 g de beurre, 30 g de farine, 300 ml de lait

AU PRÉALABLE :
Préchauffer le four à 220 °C.

1

2

3

4

5

6

1	Laver les aubergines et les couper en rondelles fines, de 1/2 cm d'épaisseur à peu près.	2	Les étaler sur une plaque à four. Les badigeonner, au pinceau, de trois cuillerées à soupe d'huile d'olive.	3	Les faire rôtir 20 à 30 minutes. Faire deux plaques si nécessaire.
4	Sur feu moyen, cuire les tranches d'agneau dans 1 cuillère d'huile.	5	Hacher la viande cuite en petits morceaux. Découper les tomates en tranches.	6	Hacher le persil, mélanger à la chapelure, assaisonner. ➢

7	Huiler un plat à four. Superposer aubergines, viande, aubergines, viande, verser la béchamel, répartir la chapelure. Arroser d'huile d'olive.

OPTION

Si l'on aime, intercaler une couche de brousse de brebis (ou remplacer carrément la viande).

IMPORTANT

☛ Il faut assaisonner entre chaque couche : sel, poivre et cannelle, à la grecque.

OPTION

On peut aussi très bien utiliser de la viande d'agneau hachée par le boucher. Ou du bœuf, ou du veau pour un goût moins prononcé.

8	Faire cuire au four 30 minutes. Servir la moussaka avec une salade verte.

REMARQUE

☛ Cette recette donne une moussaka plutôt légère, pas trop dense.

OPTION

Pour une version plus authentique, utiliser de la viande hachée par le boucher, de la sauce tomate et même une couche de pommes de terre bouillies coupées en tranches.

LES POISSONS

4

LES CLASSIQUES

POÊLÉS

MARINÉS

PAPILLOTE ET 3 SAUCES

POUR 4 PERSONNES • PRÉPARATION : 5 MINUTES • CUISSON : 15 MINUTES

4 pavés de saumon, à peu près 150 g chacun
Une cuillerée à soupe d'huile d'olive
1 citron

AU PRÉALABLE :
Préchauffer le four à 200 °C.

LA MÉTHODE DE LA PAPILLOTE :
Poser les pavés de saumon sur une grande feuille de papier aluminium enduite d'huile d'olive. Assaisonner avec sel, poivre et un trait de jus de citron.

Envelopper bien hermétiquement, mais sans serrer : il faut que l'air circule à l'intérieur du paquet. Replier les bords. Faire cuire au four pendant 10 à 15 minutes.

1 2

3 4

	SAUCE VERTE
1 & 2	Mixer grossièrement : 1/2 bouquet de persil plat, 1 petit oignon rouge ou 2 oignons de printemps, 2 brins d'estragon, 1 cuillerée à soupe de câpres, 2 cuillerées à soupe d'huile d'olive, 1 demi-cuillerée à soupe de moutarde à l'ancienne.

	SAUCE AU YAOURT
3	Mélanger 6 brins d'aneth hachés, 2 yaourts à la grecque et 1 cuillerée à soupe de jus de citron.
	SAUCE PETITS POIS-BASILIC
4	Mixer 450 g de petits pois cuits, 6 brins de basilic et 1 cuillerée à soupe d'huile d'olive.

LÉGUMES ET POISSON VAPEUR

POUR 2 PERSONNES • PRÉPARATION : 10 MINUTES • CUISSON : 20 MINUTES

2 petits poissons entiers (dorades par exemple)
Des légumes de printemps
2 cuillerées à soupe d'huile

1 morceau de gingembre de 4-5 cm
3 cuillères à soupe de sauce soja
1 pincée de sucre

AU PRÉALABLE :
Pratiquer des entailles en diagonale dans les poissons, jusqu'à l'arête, sur les deux faces. Éplucher le gingembre, couper la moitié en fines lamelles et râper le reste.

1	Dans le cuit-vapeur, poser les lamelles de gingembre sur le poisson. Éplucher et couper les légumes en bâtons plutôt fins. Les mettre aussi dans le cuit-vapeur.	2	Faire cuire à la vapeur à peu près 12-15 minutes selon l'épaisseur du poisson : la chair doit se détacher en lamelles.
3	Faire chauffer l'huile dans une petite poêle ou casserole. Ajouter le gingembre râpé, tourner pendant 1 minute.	4	Ôter du feu, ajouter la sauce soja et le sucre. Servir sur le poisson et les légumes.

FAUX POISSON PANÉ

POUR 2 PERSONNES • PRÉPARATION : 20 MINUTES • CUISSON : 10 MINUTES

2 filets de poisson pas trop épais : limande, truite…
1 citron + zestes
2 tranches de pain rassis
1 botte d'herbes, ou un mélange de plusieurs sortes (lavées et effeuillées)
30 g de beurre
Sel

AU PRÉALABLE :
Préchauffer le four à 200 °C.

1	Dans un robot, mixer le pain pour obtenir de la chapelure.	2	Ajouter et mixer rapidement zeste de citron et herbes pour obtenir une poudre. Saler.	3	Faire fondre le beurre dans une petite casserole. Ajouter le jus du citron.
4	Presser les filets de poisson dans cette mixture, de chaque côté, puis poser dans un plat à four.	5	Parsemer le reste de chapelure. Verser le beurre fondu dessus.	6	Faire cuire au four entre 6 et 10 minutes, selon l'épaisseur des filets. Servir avec une petite salade verte.

MOULES À L'ESTRAGON

POUR 2 PERSONNES • PRÉPARATION : 10 MINUTES • CUISSON : 10 MINUTES

2 litres de moules
4 brins d'estragon
20 g de beurre

2 échalotes ou 1 oignon
1 verre de vin blanc

AU PRÉALABLE :
Nettoyer les moules à l'eau avec une petite brosse ou un couteau.

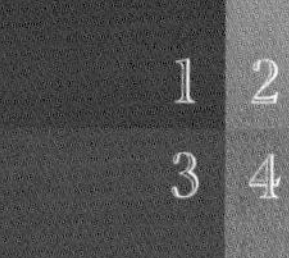

1	Faire fondre le beurre dans une cocotte. Émincer l'échalote. Faire revenir dans le beurre pendant 5 minutes, sur feu moyen.	2	Monter le feu, ajouter le vin blanc et les brins d'estragon.
3	Ajouter les moules, mettre le couvercle et laisser cuire jusqu'à ce que les moules s'ouvrent, 3 à 5 minutes, en secouant la cocotte.	4	Servir.

SAINT-JACQUES AIL-GINGEMBRE

POUR 2 PERSONNES • PRÉPARATION : 10 MINUTES • CUISSON : 10 MINUTES

8 Saint-Jacques préparées par le poissonnier
(ou achetées surgelées et décongelées)
50 g de beurre

1 gousse d'ail et/ou un dé de gingembre
6 brins de persil plat ou de coriandre fraîche

AU PRÉALABLE :
Faire décongeler les Saint-Jacques.
Les étaler dans un plat et les mettre
au réfrigérateur pendant 4 heures.

1	Hacher l'ail finement. Laver, sécher, effeuiller et hacher les herbes.	2	Faire mousser la moitié du beurre dans une petite poêle, sur feu plutôt fort.	3	Ajouter les Saint-Jacques et laisser cuire 2-3 minutes d'un côté.
4	Retourner, cuire encore 1 ou 2 minutes. Glisser les Saint-Jacques cuites sur une assiette.	5	Jeter le beurre marron. Faire mousser le reste de beurre frais. Ajouter l'ail (remuer 1 min) puis les herbes.	6	Verser le beurre herbé et aillé sur les Saint-Jacques. Manger tout de suite.

49

DES GAMBAS SAUCE VANILLE

POUR 4 PERSONNES • PRÉPARATION : 10 MINUTES • CUISSON : 10 MINUTES

16 ou 20 gambas
2 cuillerées à soupe d'huile d'olive

SAUCE VANILLE :
250 ml de bouillon de légumes
ou bien de fumet de poisson
5 cuillerées à soupe de crème liquide
1 gousse de vanille

1	Chauffer ensemble, dans une petite casserole, le bouillon, la crème et la gousse de vanille fendue en deux. Racler les graines de la gousse dans la sauce.	2	Faire sauter les gambas dans l'huile d'olive, pendant 2-3 minutes.
3	Les retourner, poursuivre la cuisson encore 2 minutes.	4	Servir les gambas sautées avec la sauce.

STEAK DE THON MI-CUIT

POUR 2 PERSONNES • CUISSON : 1 MINUTE

1 grande (ou 2 petites) tranche de thon sans arêtes
1 cuillerée à soupe d'huile d'olive

Sauce soja, wasabi, gari (gingembre japonais pour sushi) ou 1 cuillerée à soupe de moutarde à l'ancienne
Sel

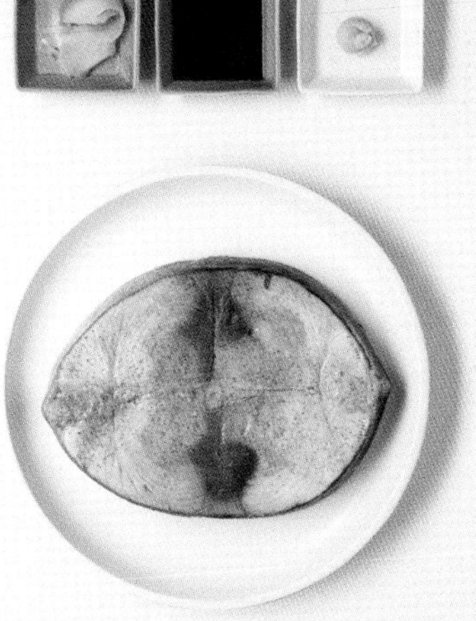

1	Faire chauffer l'huile dans une poêle. Saisir le thon 30 secondes d'un premier côté.	2	Le retourner et cuire l'autre côté encore 30 secondes.
3	Servir avec les condiments japonais.	4	Ou bien servir avec la moutarde et du sel.

CEVICHE AU CITRON VERT

POUR 2 PERSONNES • PRÉPARATION : 15 MINUTES • REPOS AU FRAIS : 30 MINUTES

2 filets de dorade levés par le poissonnier (ils doivent être ultra frais)
1 ou 2 citrons verts
Le jus d'une orange
4 cuillères à soupe d'huile d'olive (60 ml)
1 bulbe de fenouil
Poivre et sel

1
3

1	Enlever les arêtes de la dorade (en les pinçant entre les doigts ou bien avec une pince à épiler) puis la couper en lamelles.	2	Mettre le poisson dans un plat creux, ajouter l'huile.
3	Râper le zeste du citron, presser le jus. Mélanger avec le jus d'orange. Découper le fenouil (lavé et débarrassé des parties abîmées) en fines lamelles.	4	Verser les jus et les zestes sur le poisson, ajouter les lamelles de fenouil. Saler, poivrer. Servir tout de suite ou au bout de 30 minutes maximum, si on aime le poisson plutôt « cuit ».

52

DU THON À LA TAHITIENNE

POUR 4 PERSONNES • PRÉPARATION : 15 MINUTES • REPOS AU FRAIS : 30 MINUTES

4 petits filets de thon sans arêtes (demander au poissonnier de tout enlever)
2-3 citrons verts

150 à 200 ml de lait de coco
Sel et poivre du moulin
1 quart de botte de coriandre

1 cuillerée à soupe d'huile d'olive
1 demi-concombre

1 2

3 4

1	Couper le thon en dés. Éplucher, épépiner et râper le concombre.	2	Râper le zeste d'un des citrons. Presser le jus des 4 citrons.
3	Mélanger les ingrédients de la marinade : jus de citron, lait de coco, zeste de citron, huile d'olive et concombre. Saler et poivrer.	4	Mettre le thon dans un plat creux et arroser de marinade. Servir tout de suite ou au maximum au bout de 30 minutes : le thon « cuit » alors davantage dans le jus de citron.

LES LÉGUMES

SOUPES & CO

RÔTIS

BIEN CUITS

CRUS ET NATURE

LA SOUPE AU POTIMARRON

POUR 3 PERSONNES • PRÉPARATION : 25 MINUTES • CUISSON : 1 HEURE

1 beau potimarron
1 tranche de courge
3 pommes de terre moyennes (type BF15)
6 brins de cerfeuil

4 cuillerées à soupe de crème fraîche
ou de lait de coco
Sel et poivre du moulin
2 cubes de bouillon (légumes ou poulet)

AU PRÉALABLE :
Préchauffer le four à 200 °C.

1 2

3 4

1	Mettre le potimarron et la courge entiers, dans un plat à four. Enfourner pour 30 à 40 minutes : la chair doit céder à la lame d'un couteau.	2	Sortir courge et potimarron du four. Couper en deux le potimarron. Enlever les graines et les jeter. Puis détacher la chair de la peau.	
3	Pendant la cuisson des courges, éplucher les pommes de terre, les couper en morceaux et les mettre dans une grande casserole. Couvrir d'eau, ajouter les cubes de bouillon.	4	Porter à ébullition et faire cuire 20-25 minutes, le temps qu'elles cèdent elles aussi à la lame du couteau.	➢

5	Mettre la chair de la courge et du potimarron dans la casserole avec les patates. Mixer avec un mixeur plongeant (ou transférer dans un robot, ou encore passer au moulin à légumes). Saler et poivrer si nécessaire. Hacher le cerfeuil.	**LORSQUE LA SOUPE EST TROP ÉPAISSE** Délayer avec un peu d'eau, de lait ou de bouillon. **OPTION** Le potimarron se marie bien avec le gingembre. Ajouter, si l'on aime, un dé de gingembre râpé au moment de mixer la soupe.

6	Servir la soupe avec le cerfeuil et une cuillerée de crème ou de lait de coco par bol.	**VERSION LUXE** Ajouter des copeaux de foie gras sur la soupe au lieu de la crème.

CONSEILS

Utiliser au choix du potiron, du potimarron ou d'autres courges. Les patates servent à épaissir un peu la soupe tout en corrigeant le côté sucré de la courge.

VERSION GOURMANDE

Ajouter des cubes de cantal, des croûtons ou encore du lard fumé grillé.

LE GASPACHO NEW STYLE

POUR 4 PERSONNES • PRÉPARATION : 25 MINUTES • CUISSON : 15 MINUTES

1 concombre
6-8 tomates
2 poivrons rouges
1 oignon rouge
1 tout petit melon ou 1 quart de pastèque
Du Tabasco
3 cuillerées à soupe d'huile d'olive (45 ml)
6 tranches de pain de campagne
1 à 3 petites gousses d'ail (selon son goût)
Sel et poivre

1

Peler les tomates en les passant dans l'eau bouillante. Les couper en deux et les épépiner.
Laver, peler et épépiner le concombre et les poivrons.
Éplucher et hacher l'oignon.
Couper le melon ou la pastèque, enlever l'écorce et les graines.

Découper en tout petits dés une tomate, 1 quart de concombre, 1 tranche de melon, 1 quart d'oignon et 1 quart de poivron.
☛ C'est pour servir avec la soupe, alors il faut s'appliquer.

Découper le reste en gros dés.

➢

2 3

4 5

2	Mettre les légumes et le melon découpés en gros dés dans un robot avec 2 cuillerées d'huile d'olive et 2 tranches de pain sans la croûte.	3	Mixer. Saler, poivrer, pimenter.
4	Couvrir d'un film et mettre au frais pour quelques heures au moins.	5	Les croûtons : préchauffer le four à 200 °C. Découper le pain en cubes. Étaler sur une plaque à four, répartir l'ail émincé et arroser d'huile d'olive. Passer au four 10 à 15 minutes.

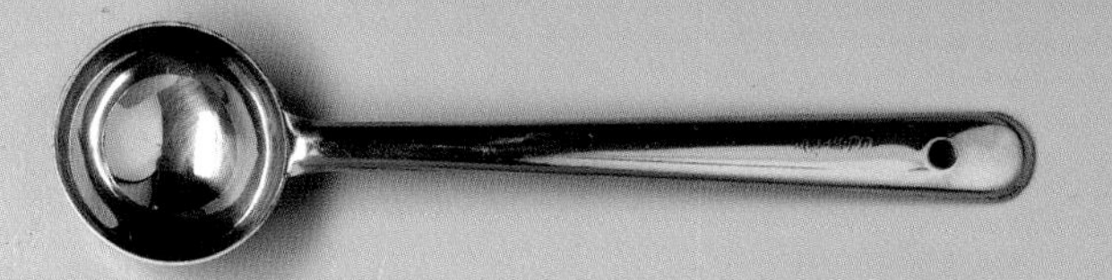

6	Servir le gaspacho bien frais avec les croûtons, des glaçons et le reste de légumes en tout petits dés.

ENCORE PLUS DE FRUIT

Remplacer le melon par de la mangue bien mûre.

CONSEIL

☛ Il vaut mieux laisser le gaspacho quelques heures au réfrigérateur avant de le servir.

VERSION LACTÉE

Ajouter un grand verre de lait fermenté (style yorik).

55

UN MINESTRONE DE PRINTEMPS

POUR 6 PERSONNES • PRÉPARATION : 35 MINUTES • CUISSON : 3 H 30 • REPOS : 1 NUIT

4 à 6 cuillerées à soupe d'huile d'olive
1 oignon
2 gousses d'ail
3 pommes de terre moyennes
1 bulbe de fenouil
2 petites courgettes
1 quart de chou
250 g de tomates cerise
50 g de parmesan et 1 croûte de parmesan
4 brins de basilic
100 g de pâtes courtes (penne, orechiette)
100 g de haricots blancs secs (ou en boîte)
3 cubes de bouillon de poulet ou de légumes (à dissoudre dans 1,5 litre d'eau)
Sel et poivre

1	La veille, mettre les haricots à tremper dans de l'eau froide.	2	Le jour même, les mettre dans une casserole, couvrir d'eau et cuire à feu moyen, à découvert, 30-40 minutes.	3	Couper en dés pommes de terre, fenouil, courgettes et le chou en lanières. Hacher l'oignon, émincer l'ail.	
4	Faire revenir ail et oignon, sans cesser de remuer. Puis les patates, 2-3 minutes.	5	Faire la même chose avec le fenouil et le chou, puis les courgettes et les tomates.	6	Réserver 1/4 des courgettes et des tomates.	➢

7 8

9 10

7	Verser le bouillon. Ajouter la croûte de parmesan. Porter à ébullition puis baisser le feu.	8	Laisser cuire 2 heures avec un couvercle. Mélanger de temps en temps.
9	Rectifier l'assaisonnement si nécessaire. Ajouter les pâtes, les courgettes et les tomates restantes.	10	Ajouter les haricots cuits puis prolonger la cuisson encore 20 minutes.

11	Servir avec du pesto, du parmesan râpé et du bon pain.

LA « TOUCH » TERROIR

Le minestrone est encore meilleur si l'on ajoute un talon de jambon sec en même temps que le bouillon.

POUR UN MINESTRONE DE PRINTEMPS

Fèves, petits pois, haricots verts.

CONSEIL

Faire suivre d'un dessert léger : salade d'agrumes ou de fraises selon la saison.

56

UN DAHL DE LENTILLES CORAIL

POUR 4 PERSONNES • PRÉPARATION : 15 MINUTES • CUISSON : 25 MINUTES

250 g de lentilles corail
1 demi-cuillerée à café de cumin
1 bâton de cannelle

6 gousses de cardamome
1 pointe de couteau de curcuma
1 petite boîte de tomates

1 oignon
100 ml de lait de coco
1 citron vert

1	Rincer les lentilles dans une passoire.	2	Mettre les lentilles dans un grand faitout avec l'oignon épluché et haché grossièrement, les tomates, les épices.	
3	Ajouter 500 ml d'eau. Porter à ébullition et laisser cuire à découvert, sur feu moyen, pendant 25 minutes environ, jusqu'à ce que les lentilles commencent à se défaire.	4	Repêcher et jeter le bâton de cannelle et les gousses de cardamome.	➢

5	Mixer les lentilles dans un robot.

POUR UN GOÛT PLUS PRONONCÉ

Mettre les graines d'une ou de deux des gousses de cardamome dans le robot au moment de mixer.

SANS ROBOT

Si l'on n'a pas de robot, on peut servir les lentilles non mixées. Dans ce cas, hacher finement l'oignon et les tomates avant de les mettre dans la casserole.

6	Remettre sur feux doux, ajouter le lait de coco et un peu de jus de citron. Servir.

OPTION

On peut remplacer le lait de coco par du yaourt à la grecque ou du Fjord.

VARIATION

On peut faire une soupe en mettant le double d'eau pour cuire les lentilles.
Ou, au contraire, mettre un peu moins d'eau, puis assécher un peu la purée en la faisant revenir 5 minutes sur feu moyen, dans une poêle, avec un peu d'huile et une cuillerée à café d'un mélange d'épices (style garam masala). Servir comme un dip.

LA PURÉE MAISON

POUR 4 PERSONNES • PRÉPARATION : 20 MINUTES • CUISSON : 30 MINUTES

1 kg de pommes de terre (BF 15 plutôt)
50 g de beurre
3 cuillerées à soupe de crème fraîche épaisse
100 ml de lait

AU PRÉALABLE :
Rincer les pommes de terre.

IMPÉRATIF :
Surtout pas de robot pour cette recette, le résultat serait trop élastique.

1	Mettre les pommes de terre dans une casserole. Couvrir d'eau froide, saler, porter à ébullition.	2	Faire cuire à petits bouillons, à moitié couvertes, pendant 20 à 30 minutes, selon leur taille.	3	Égoutter puis peler. Remettre dans la casserole sur le feu pour les sécher quelques secondes.
4	Ajouter le beurre et la crème, écraser au presse-purée.	5	Réchauffer le lait et l'ajouter, tout en battant avec une cuillère en bois.	6	Saler si nécessaire et servir tout de suite.

LA RATATOUILLE AU FOUR

POUR 6 PERSONNES • PRÉPARATION : 25 MINUTES • CUISSON : 40 MINUTES

3 grosses tomates (ou 6 plus petites)
3 courgettes
2 petites aubergines
1 ou 2 poivrons (rouges ou jaunes)
1 ou 2 oignons et 1 gousse d'ail
2 cuillerées à soupe d'huile d'olive
Sel et poivre du moulin
1 cuillerée à café de sucre
2 cuillerées à café de vinaigre
2 brins de basilic

AU PRÉALABLE :
Préchauffer le four à 210 °C.

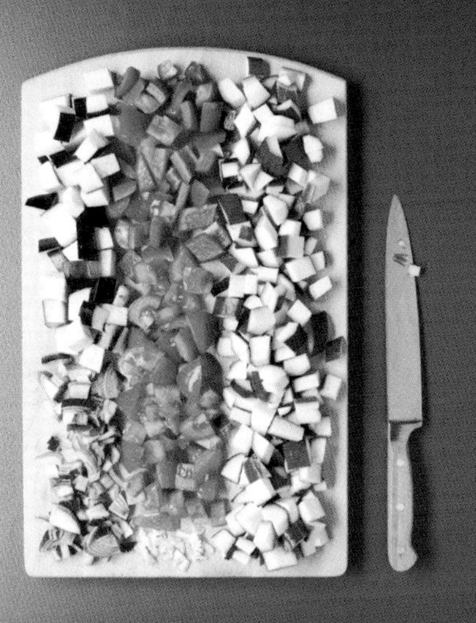

1 2

3 4

1	Laver les légumes. Les découper en dés.	2	Les mettre dans un plat à four peu profond ou sur la plaque du four. Verser l'huile et mélanger soigneusement. Saler et poivrer.
3	Enfourner pour 40 minutes.	4	Ajouter le vinaigre mélangé au sucre et le basilic haché. Servir chaud ou froid.

LES LÉGUMES RACINE RÔTIS

POUR 6 PERSONNES • PRÉPARATION : 25 MINUTES • CUISSON : 1 HEURE

1,5 kg de légumes racine, au choix : carottes, pommes de terre, panais, topinambours, navets, céleri-rave, rutabagas…
3 cuillerées à soupe d'huile d'olive

Sel et poivre
4 brins de thym
4 brins de cerfeuil
4 cuillerées à soupe de mascarpone

AU PRÉALABLE :
Préchauffer le four à 190 °C.

1 2

3 4

1	Laver, éplucher les légumes et les couper en grosses « frites » de taille homogène.	2	Les étaler sur une plaque à four. Arroser d'huile, ajouter les brins de thym et bien mélanger.
3	Rôtir une heure au four.	4	Mélanger le mascarpone avec le cerfeuil haché, saler et poivrer et servir sur les légumes encore chauds.

60

LES PETITS LÉGUMES FARCIS

POUR 4 PERSONNES • PRÉPARATION : 30 MINUTES • CUISSON : 1 H 20

4 tomates moyennes et 3 courgettes
3 oignons et 2 poivrons rouges
3-4 oignons de printemps ou des cébettes
1 ou 2 gousses d'ail

6 bouquets de basilic
40 g de parmesan
2 cuillerées à soupe de chapelure
1 œuf et 100 g de viande de veau hachée

Sel et poivre
3 cuillerées à soupe d'huile d'olive

AU PRÉALABLE :
Préchauffer le four à 200 °C.

1	Laver les légumes. Évider les tomates, en découpant un chapeau.	2	Fendre les courgettes dans la longueur, les évider en gardant à peu près 3-5 mm d'épaisseur de chair.
3	Couper un poivron dans la longueur, enlever les graines.	4	Évider les oignons. ➢

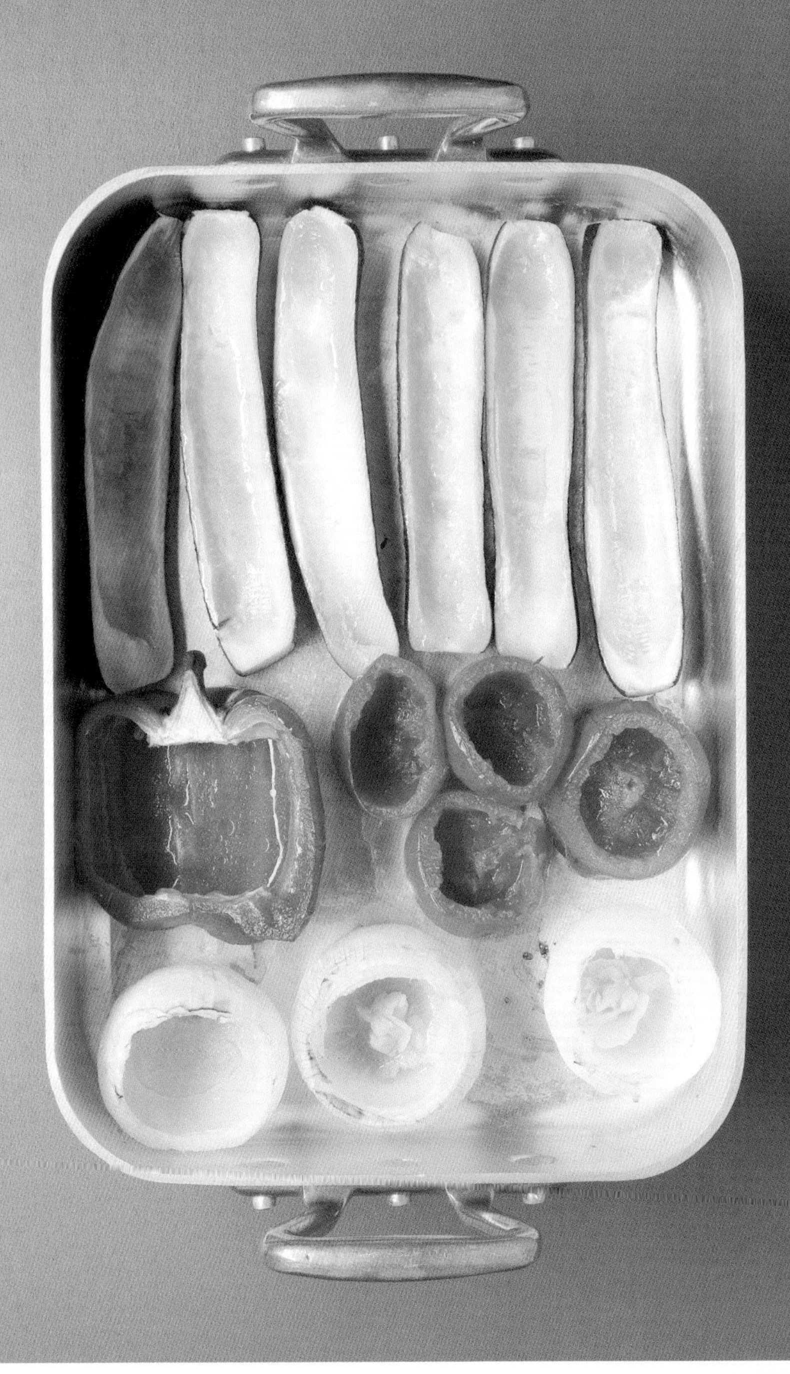

5	Mettre tous ces légumes, arrosés d'une cuillerée d'huile, sur une plaque à four et les faire cuire 20 minutes.	**CONSEIL** ☛ Pour huiler plus facilement les légumes évidés, utiliser un pinceau.

OPTION	**CONSEIL**
Si l'on en trouve, on peut utiliser des courgettes rondes, c'est joli et pratique.	L'oignon et le poivron peuvent cuire 15-20 minutes supplémentaires : ils seront plus moelleux et moins croquants.

6 7

8 9

POUR LA FARCE

6	Hacher (au robot ou au couteau) la chair des légumes évidés.	7	Émincer les oignons de printemps, le poivron restant, l'ail et le basilic.	
8	Faire revenir dans le reste d'huile les oignons pendant 5 minutes, puis ajouter les poivrons, encore 5 minutes.	9	Ajouter la chair des légumes évidés. Remuer encore 5 minutes.	➢

10	Ajouter la viande et la cuire jusqu'à ce qu'elle soit légèrement dorée. Ajouter à ce mélange le parmesan râpé et l'œuf. Parsemer de chapelure et assaisonner.

OPTION

Le veau donne une farce légère, mais on peut utiliser de la chair à saucisse ou bien de l'agneau haché.

VERSION VÉGÉTARIENNE

Compléter avec la chair hachée de deux tomates, deux courgettes et deux poivrons de plus et ajouter d'autres herbes hachées au choix (1 poignée) pour donner plus de goût.

11	Remplir les légumes de la farce. Les passer au four 45 minutes.

ACCOMPAGNEMENT

Servir avec du riz de camargue.

VARIANTE DE LA FARCE

Mélanger 400 g de ricotta, brousse ou cottage cheese avec une demi-cuillerée à café de harissa et une demi-botte de persil plat.
Farcir les légumes évidés et précuits et repasser au four 20 minutes.

UN CRUMBLE DE COURGETTES

POUR 4 PERSONNES • PRÉPARATION : 25 MINUTES • CUISSON : 45 MINUTES

1 kg de courgettes lavées et équeutées
200 g de cottage cheese
6 brins de basilic, sel et poivre
2 cuillerées à soupe d'huile d'olive
1 cuillerée à café de sucre
1 cuillerée à café de vinaigre
150 g de farine complète et 75 g de beurre
4 cuillerées à soupe d'amandes entières

AU PRÉALABLE :
Préchauffer le four à 220 °C.
Hacher les amandes grossièrement.

1	Râper grossièrement les courgettes. Saler, poivrer, arroser d’une cuillerée d’huile.	2	Mettre au four sur une étagère haute, dans un plat à gratin, pour 15 minutes.	3	Du bout des doigts, émietter le beurre et la farine. Ajouter la 2e cuillerée d’huile et les amandes. Saler.
4	Mélanger sucre et vinaigre aux courgettes, puis le fromage et le basilic haché.	5	Répartir les miettes sur les courgettes. Baisser le four à 180 °C.	6	Passer au four 25 minutes, le temps que les miettes soient dorées.

LE GRATIN FAÇON DAUPHINOIS

POUR 6 PERSONNES • PRÉPARATION : 20 MINUTES • CUISSON : 1 H 30

1 kg de pommes de terre type Charlotte
1 gousse d'ail
30 g de beurre

600 ml de crème liquide entière
Sel et poivre

AU PRÉALABLE :
Préchauffer le four à 160 °C.

62

1	Éplucher les pommes de terre et les couper en tranches fines (2-3 mm), à la main ou au robot.	2	Frotter un plat à four avec la gousse d'ail coupée en deux. Le beurrer généreusement.
3	Mettre les pommes de terre dans le plat, saler et poivrer. Couvrir de crème.	4	Passer au four pour 1 h 15 à 1 h 30 : le dessus doit être doré, les pommes de terre cuites et la crème réduite.

63

LA VRAIE PISSALADIÈRE

POUR 4 PERSONNES • PRÉPARATION : 15 MINUTES • CUISSON : 1 HEURE

1 rouleau de pâte feuilletée pur beurre (200 g)
10 oignons
3 cuillerées à soupe d'huile ou 40 g de beurre
4 à 8 anchois marinés, si l'on aime
Une cuillerée à café d'origan séché

AU PRÉALABLE :
Préchauffer le four à 220 °C.
Découper les anchois en petits filets.

1 2

3 4

1	Éplucher les oignons, les couper en deux puis les couper en tranches pas trop fines.	2	Les mettre dans une sauteuse ou une poêle avec le beurre ou l'huile. Les laisser fondre pendant 30-35 minutes sur feu plutôt doux.
3	Dérouler la pâte et la piquer à la fourchette. Au couteau, marquer (sans couper !) une bordure de 1 cm. Répartir les oignons cuits. Parsemer d'origan. Répartir les anchois sur les oignons.	4	Faire cuire au four pendant 20 minutes environ, le temps de dorer la pâte. Servir avec une salade verte.

UNE COCOTTE DE LÉGUMES

POUR 6 PERSONNES • PRÉPARATION : 20 MINUTES • CUISSON : 15 MINUTES

8 petites jeunes carottes ou 4 grosses
8 jeunes navets ou 4-5 moyens
10 radis
8 cébettes (ou petits oignons de printemps)

2 pommes
2 petites poires
1 petite grappe de raisin frais
1 citron

2 poignées de pousses d'épinards
1 ou 2 cuillerées à soupe d'huile d'olive
Sel et poivre
1 verre de cidre

1 2

3 4

1	Laver les légumes, les gratter et les éplucher seulement si nécessaire.	2	Les couper en tronçons s'ils sont un peu gros. Éplucher la poire et la pomme, les couper en quartiers et les citronner.	
3	Faire chauffer l'huile dans une cocotte sur feu moyen à fort. Mettre les légumes. Remuer pendant 3 minutes.	4	Ajouter les fruits. Garder de côté 1/2 poire et 1/2 pomme. Faire revenir 2-3 minutes en remuant. Saler et poivrer.	➢

5 6
7 8

5	Ajouter le cidre.	6	Couvrir, baisser le feu et laisser cuire pas plus de 10 minutes.
7	Ajouter les pousses d'épinards, remuer.	8	Râper la 1/2 pomme et la 1/2 poire restantes.

9	Ajouter la pomme et la poire râpées et servir. C'est délicieux servi sur du riz brun, avec un filet d'huile d'olive.	**CONSEIL** ☛ Pensez à citronner la poire et la pomme pour les empêcher de noircir.
VARIANTE Remplacer les épinards par de la roquette, pour un goût plus poivré.		

65

UN COUSCOUS DE LÉGUMES

POUR 6 PERSONNES • PRÉPARATION : 25 MINUTES • CUISSON : 45 MINUTES

3-4 carottes et 3-4 navets
3 courgettes
1 tranche de potiron (ou courge butternut)
2-3 pommes de terre
2 gros oignons et 2 gousses d'ail
3 cuillerées à soupe d'huile d'olive

1 bâton de cannelle et 1 pincée de safran
1 cuillerée à café de ras-el-hanout
1 litre de bouillon (2 ou 3 cubes)
1 grosse boîte de tomates de bonne qualité
1 orange
1 petite boîte de pois chiches

6 cuillerées à soupe de raisins secs
De la harissa
1 demi-botte de persil plat
500 g de couscous moyen
6 cuillerées à soupe de pignons de pin
30 g de beurre

1 2

3 4

1	Laver, éplucher, découper les légumes en gros morceaux. Émincer l'ail. Râper le zeste de l'orange.	2	Faire chauffer l'huile dans un grand faitout, sur feu moyen. Faire revenir les oignons 5 minutes, ajouter l'ail et le gingembre, remuer 1 minute. Ajouter le ras-el-hanout, remuer 1 minute.	
3	Ajouter les légumes découpés, remuer pendant 5 minutes.	4	Ajouter le bouillon et les tomates. Amener à ébullition.	➢

5

Mettre le bâton de cannelle et la pincée de safran, le zeste de l'orange, les pois chiches égouttés et les raisins secs. Laisser cuire 30 minutes.

POUR PLUS DE SIMPLICITÉ

On trouve aussi de la semoule précuite. Dans ce cas, il suffit de suivre les instructions du paquet pour la préparer.

L'AVANTAGE DU COUSCOUSSIER

La viande et les légumes cuisent dessous, donnant un bouillon parfumé qui permet de cuire la semoule dans le panier au-dessus. Si les trous sont trop gros, mettre un linge ou un morceau de gaze dans le panier-vapeur avant de verser la semoule. Faute de couscoussier, utiliser un grand faitout et mettre dessus un panier-vapeur.

6	Pendant la cuisson des légumes, préparer le couscous : le couvrir d'eau froide et le laisser tremper 10 minutes dans un plat creux.	7	Puis, avec les mains, séparer les grains, placer dans un cuit-vapeur (qu'on peut mettre au-dessus des légumes). Poser le beurre en petits morceaux dessus.
8	Cuire à la vapeur environ 20 minutes, avec un couvercle, au-dessus des légumes si possible.	9	Servir les légumes, le bouillon, le couscous parsemé de pignons (grillés à sec dans une poêle) et la harissa pour pimenter le tout.

UN TABOULÉ PLEIN D'HERBES

POUR 4 PERSONNES • PRÉPARATION : 25 MINUTES • REPOS : 15 MINUTES

75 g de boulgour
2 belles bottes de persil plat
1 belle botte de menthe
Le jus d'un ou de deux citrons
2 cuillerées à soupe d'amandes effilées légèrement grillées à la poêle
2 cuillerées à soupe d'huile d'olive ou plus
Sel et poivre du moulin
2 petits concombres
4-5 petits oignons de printemps

1 2

3 4

1	Laver, égoutter puis effeuiller les herbes.	2	Les hacher finement. On peut aussi hacher les herbes au robot, mais brièvement, pas trop finement.	
3	Couvrir le boulgour d'eau froide et laisser reposer 15 minutes. (Certains boulgours nécessitent une cuisson : suivre les instructions du paquet.)	4	Éplucher les concombres, enlever les pépins et les découper en tout petits cubes. Nettoyer et hacher finement les oignons de printemps.	➢

5	Égoutter le boulgour et réunir tous les ingrédients dans un saladier.	**VARIANTE** On peut bien sûr ajouter 2-3 tomates épluchées, épépinées et coupées en tout petits dés.

6	Assaisonner : mettre d'abord le jus d'un citron. Goûter et rectifier l'assaisonnement en sel, poivre, huile d'olive et citron.

IDÉES

Très bon en pique-nique ou en accompagnement d'un barbecue.

INFO PRODUIT

On peut aussi utiliser de la semoule grosse ou moyenne. Mais le boulgour (blé concassé) a un goût noisette et une texture plus intéressants. Il faut des oignons plutôt doux. On peut utiliser aussi des oignons de printemps.

UN SAUTÉ DE LÉGUMES AU WOK

POUR 1 PERSONNE • PRÉPARATION : 15 MINUTES • CUISSON : 3 MINUTES

1 poignée de champignons shitaké, ou des pleurotes, à défaut des champignons de Paris
3 oignons de printemps
3 côtes de blettes avec les feuilles

1 gousse d'ail
1 cuillerée à soupe de sauce soja
2 cuillerées à soupe d'huile végétale
1 cuillerée à café de Maïzena

AU PRÉALABLE :
Préchauffer le four à 220 °C.
Laver les blettes.

1	Séparer les côtes (blanches) des feuilles. Émincer le tout. Essuyer les champignons et les découper en lamelles. Émincer finement l'ail et le gingembre épluchés. Hacher les oignons.	2	Faire chauffer le wok sur le feu au maximum. Verser l'huile une fois que le wok est chaud et fumant. Y jeter les oignons, l'ail et le gingembre. Remuer pendant 30 secondes.
3	Ajouter les côtes de blettes et les champignons, cuire en remuant sans cesse 2 minutes. Ajouter les feuilles, cuire encore 1 minute.	4	Ajouter la sauce huître ou soja mélangée avec la Maïzena. Laisser cuire 1 minute puis servir.

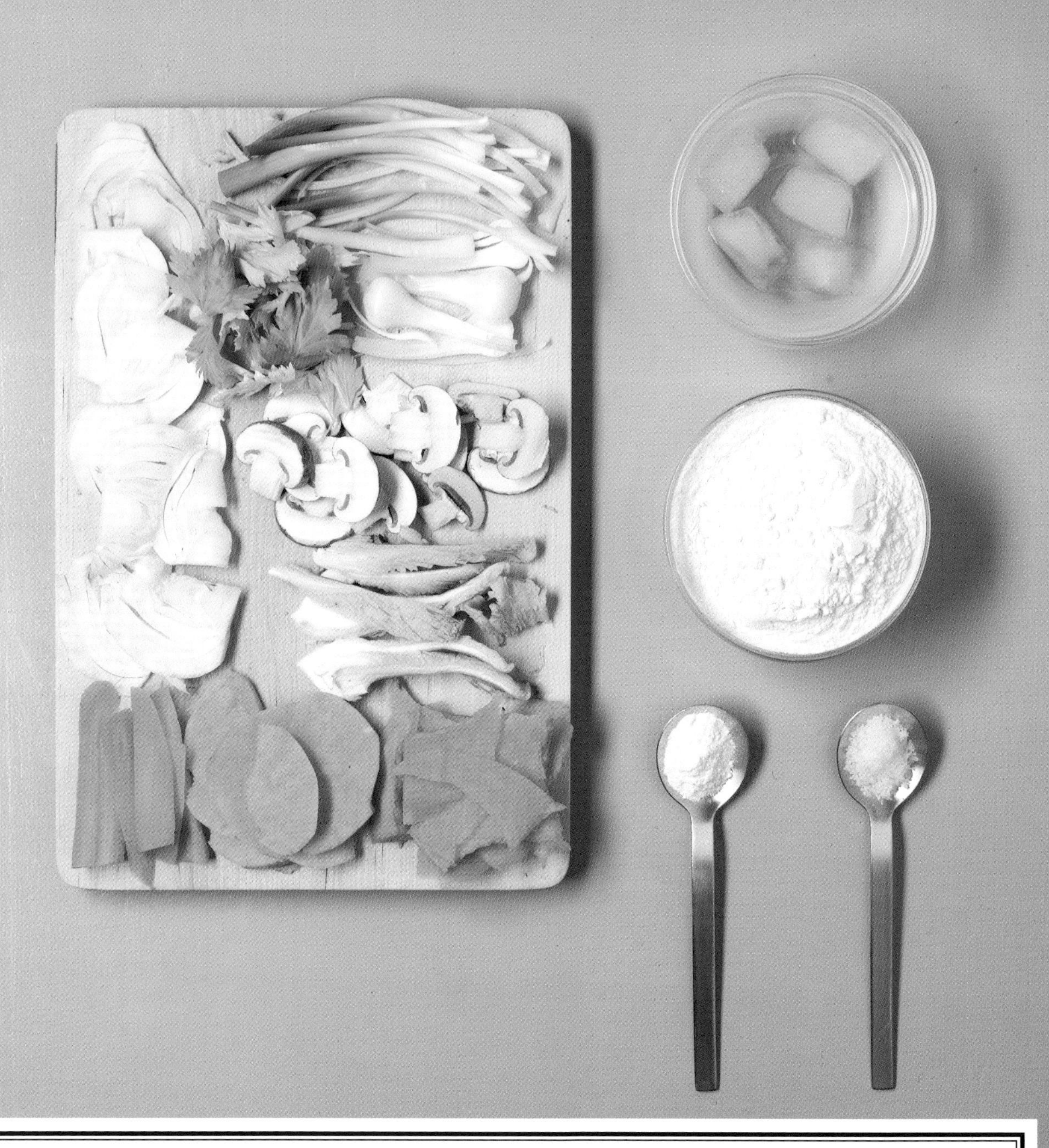

DES TEMPURA JAPONAISES

POUR 4 PERSONNES • PRÉPARATION : 20 MINUTES • CUISSON : 2 MINUTES

225 g de farine
1 demi-cuillerée à café de levure chimique
250 ml d'eau glacée
De l'huile pour friture
Fleur de sel

Des légumes : jeunes feuilles de céleri, champignons de Paris, pleurotes, oignons de printemps, lamelles de patate douce, lamelles de potiron, fleurs de courgette, etc.

AU PRÉALABLE :
Émincer finement les légumes et surtout bien les sécher.
Faire chauffer l'huile.

1	Mettre l'eau dans un saladier. Ajouter la farine et la levure.	2	Mélanger très brièvement : il doit rester des grumeaux de farine dans la pâte.	3	Quand l'huile est chaude, tremper les légumes dans la pâte.
4	Les jeter dans la friture. Ne pas en mettre trop à la fois.	5	Les retourner au bout de quelques secondes et retirer avant qu'ils ne dorent.	6	Égoutter sur du papier absorbant. Servir aussitôt avec la fleur de sel.

LES DESSERTS

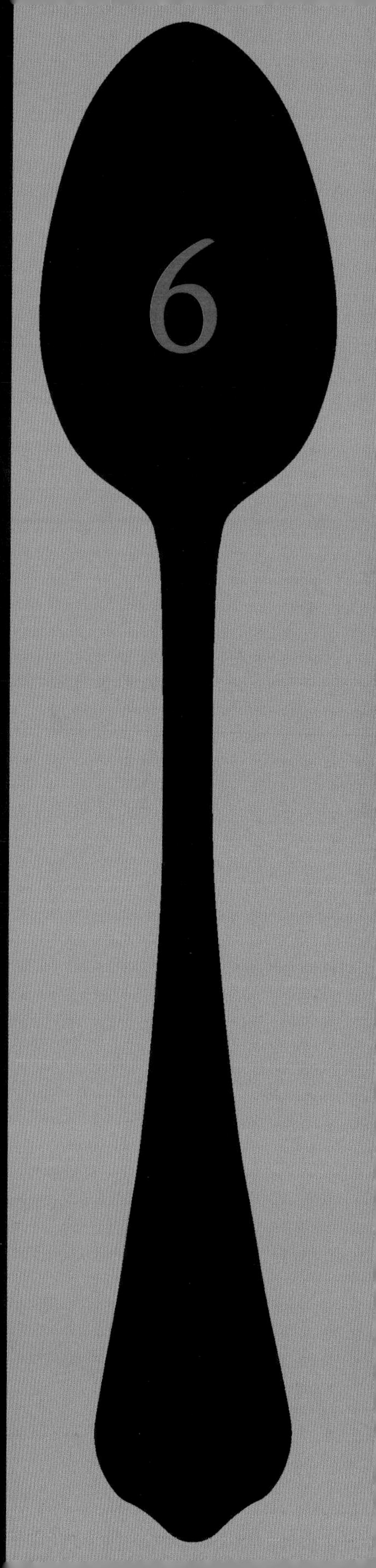

6

DU RIZ AU LAIT FACILE

POUR 4 PERSONNES • PRÉPARATION : 5 MINUTES • CUISSON : 35 MINUTES

150 g de riz rond
750 ml de lait
200 ml de crème fraîche
Une gousse de vanille
1 cuillerée à soupe de sucre
15 g de beurre

VERSION À L'EAU DE ROSE :
Ajouter deux cuillerées à café d'eau de rose et 1 cuillerée à soupe supplémentaire de sucre à la fin.

1	Mettre le riz, la crème, le lait et la gousse de vanille dans une casserole. Ajouter un verre d'eau. Porter à ébullition.	2	Puis baisser le feu et laisser cuire à découvert, à petits bouillons, sur feu doux, pendant 35 minutes, le temps que le riz soit crémeux mais encore légèrement « al dente ».
3	Ajouter le sucre et le beurre.	4	Manger chaud ou froid.

UNE CRÈME BRÛLÉE RHUBARBE

POUR 4 PERSONNES • PRÉPARATION : 25 MINUTES • CUISSON : 1 HEURE • REPOS : 1 HEURE

200 g de sucre
1 gousse de vanille
300 ml de crème liquide entière
200 ml de lait
8 jaunes d'œufs
300 g de rhubarbe surgelée

AU PRÉALABLE :
Préchauffer le four à 180 °C.

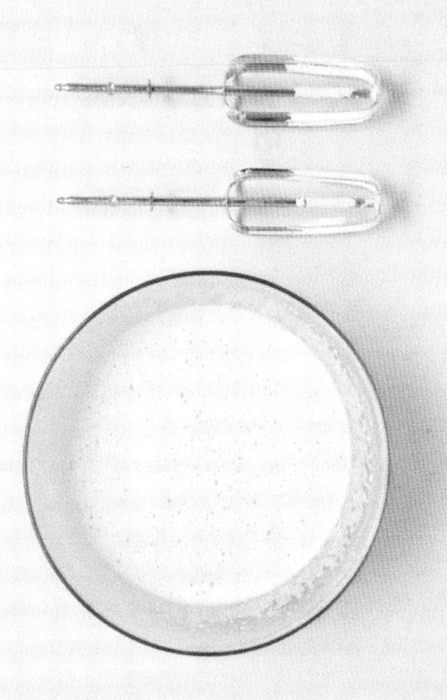

1	Mettre la rhubarbe dans un plat à four avec 3 cuillerées à soupe de sucre.	2	Faire cuire 30 minutes. Baisser le four à 140 °C.	
3	Mettre la crème et le lait dans une casserole. Ajouter la gousse de vanille fendue en deux, en racler les graines dans le mélange lait et crème. Porter doucement à ébullition.	4	Fouetter ensemble les jaunes d'œufs et 5 cuillerées à soupe de sucre jusqu'à ce que le mélange blanchisse et mousse.	➢

5 6
7 8

5	Ajouter le mélange lait et crème petit à petit, en fouettant. Poser le plat à four dans un plat à four plus grand avec de l'eau à mi-hauteur.	6	Verser la crème dans le plat, sur la rhubarbe. Faire cuire 25 minutes.
7	Laisser refroidir puis mettre au frigo.	8	Au moment de servir, préchauffer le gril du four au maximum, saupoudrer de sucre.

9	Faire caraméliser sous le gril puis servir.	**VARIANTE** C'est bon avec de la cassonade à la place du sucre ordinaire.

CONSEIL	**USTENSILE**
Il est important que la crème soit bien froide avant de la passer sous le gril.	Le gril du four ne marche pas toujours très bien. L'idéal est un chalumeau spécial (magasins de cuisine spécialisés).

UN TRIFLE "ITALIEN"

POUR 4 PERSONNES • PRÉPARATION : 30 MINUTES • CUISSON : 15 MINUTES • REPOS : 1 NUIT

2-3 tranches de génoise ou de pandoro
3-4 amaretti (macarons italiens)
4-5 tranches de cake
1 grosse barquette de framboises (500 g)
1 verre de muscat et 1 trait de Grand Marnier
350 ml de lait
3 jaunes d'œufs
4 cuillerées à soupe de sucre
1 gousse de vanille
300 ml de crème liquide entière

1	Faire la crème anglaise : chauffer le lait avec la gousse de vanille fendue en deux dans une petite casserole.	2	Dans une casserole plus grande, fouetter ensemble les jaunes et le sucre.	
3	Verser le lait presque bouillant dessus et fouetter.	4	Remettre sur feu doux et remuer sans cesse jusqu'à ce que la crème épaississe. Laisser refroidir.	➢

5	Mettre les gâteaux au fond d'un saladier pas trop profond. Arroser de muscat et de Grand Marnier.	6	Écraser les framboises avec 1 cuillerée à soupe de sucre et les répartir sur les gâteaux. Garder quelques framboises.	7	Fouetter la crème liquide en chantilly.
8	Mélanger un tiers de la chantilly avec la crème anglaise.	9	Répartir cette crème sur les framboises.	10	Finir avec la chantilly restante.

11	Mettre au frigo jusqu'au lendemain. Décorer avec des framboises ou des amandes effilées.	**VERSION ENFANTS** Remplacer l'alcool par du jus d'orange.

DÉCOR	**VARIANTES**
Quelques violettes cristallisées en déco : joli et intéressant.	Ce dessert est un classique, mais il marche aussi très bien avec des fraises et même quelques tranches de banane mûre un peu citronnée.

DES ÎLES FLOTTANTES

POUR 3 PERSONNES • PRÉPARATION : 15 MINUTES • CUISSON : 20 MINUTES

1 litre de lait
3 blancs d'œufs
3 cuillerées à soupe de sucre
1 pincée de sel

CRÈME ANGLAISE (RECETTE 71) :
350 ml de lait
3 jaunes d'œufs
2 cuillerées à soupe de sucre
1 gousse de vanille

POUR LE CARAMEL
2 cuillerées à soupe d'eau
3 cuillerées à soupe de sucre

1	Faire la crème anglaise (voir la recette 71 du trifle "italien").	2	La répartir dans des petits bols ou ramequins et la laisser refroidir avant de la ranger au frigo.	
3	Mettre les blancs dans un saladier avec la pincée de sel.	4	Battre les blancs en neige ferme. Ajouter le sucre et fouetter de nouveau.	➢

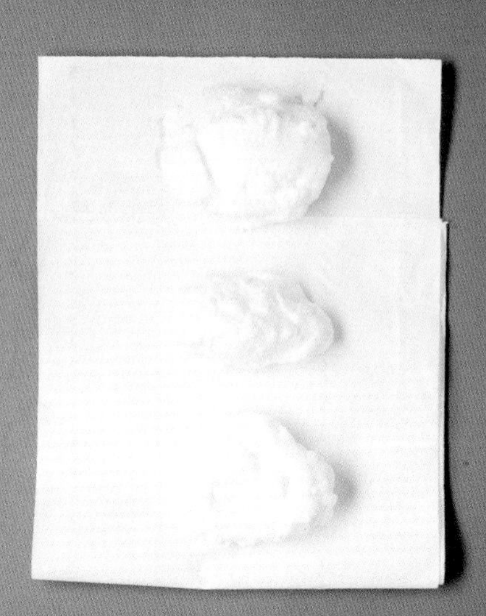

5 6

7 8

5	Faire chauffer le lait. Lorsqu'il frémit, baisser le feu pour maintenir le frémissement puis pocher* les blancs 2 minutes de chaque côté.	6	Transférer les blancs pochés sur un papier absorbant. Puis les déposer sur la crème, dans les bols.
7	Faire le caramel : mettre l'eau et le sucre dans une petite casserole et faire chauffer.	8	Lorsqu'il vire au doré, le verser aussitôt sur les îles flottantes.

9	Servir sans attendre.	**OPTIONS** Dans la crème anglaise : cardamome (2/3 gousses dans le lait qui chauffe), eau de rose (2/3 gouttes).

TECHNIQUE POCHAGE	**VARIANTES**
Prendre des grosses cuillerées de blancs d'œufs, les poser dans le lait, les tourner au bout de 2 minutes, les laisser cuire encore 2 minutes.	Supprimer le caramel et garnir les blancs de copeaux de chocolat. Remplacer le caramel par des pralines roses écrasées.

73

DES CRÊPES

POUR 4 PERSONNES • PRÉPARATION : 15 MINUTES • CUISSON : 30 MINUTES

400 ml de lait
120 g de farine fluide
4 œufs
Sel
Du beurre
Du beurre salé (facultatif)

1	Mettre la farine dans un saladier. Ajouter une pincée de sel, faire un puits et casser un premier œuf dans le puits.	2	Mélanger avec une cuillère en bois pour incorporer petit à petit la farine dans l'œuf. Continuer avec les 3 œufs restants.	
3	Ajouter le lait petit à petit.	4	Mettre à reposer au frigo 1 heure au moins, le saladier couvert d'un film.	➢

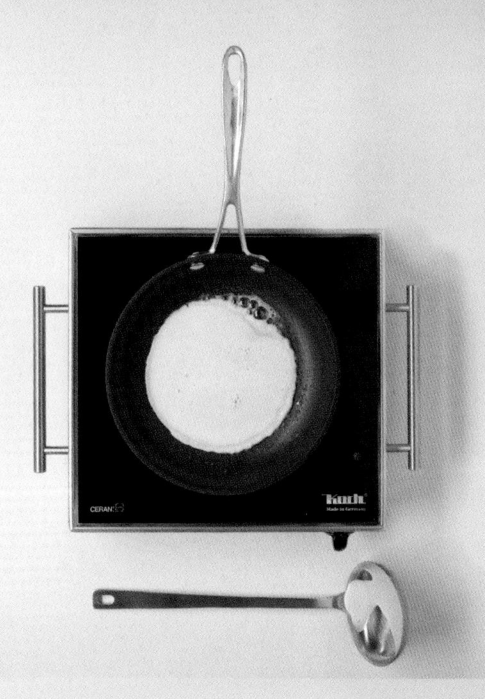

5 6
7 8

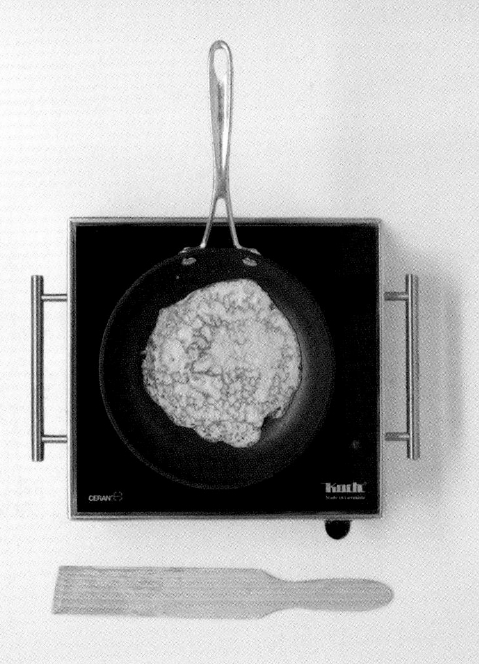

5	Faire chauffer une poêle antiadhésive de 20 cm de diamètre sur feu fort. Graisser la poêle généreusement avec un morceau de Sopalin beurré.	6	Baisser le feu sur moyen. Verser une petite louche de pâte.
7	Le premier côté est cuit quand la pâte se détache toute seule : cela prend 1 minute environ.	8	Retourner la crêpe en secouant la poêle d'un coup sec ou bien avec une spatule. Le second côté cuit en 30 secondes à peu près.

9	Faire glisser la crêpe sur une assiette, déposer un peu de beurre dessus. Graisser de nouveau la poêle avec le Sopalin beurré avant de poursuivre avec les crêpes suivantes.	**ACCOMPAGNEMENT** Servir avec du jus de citron ou d'orange et du sucre, du miel, des confitures, du Nutella, de la crème de marrons, etc. **GÂTEAU DE CRÊPES** Faire une grande pile de crêpes qu'on arrose au fur et à mesure de jus d'orange légèrement sucré.

DU PAIN PERDU

POUR 2 PERSONNES • PRÉPARATION : 10 MINUTES • CUISSON : 6 MINUTES

4 tranches de pain ou de brioche
de la veille
1 verre de lait
1 cuillerée à soupe de sucre

1 œuf
25 g de beurre
1 pincée de cannelle

1	Battre l'œuf. Mélanger le lait et une cuillerée à café de sucre.	2	Tremper le pain ou la brioche dans le lait sucré.	3	Tremper le pain ou la brioche dans l'œuf battu.
4	Faire fondre le beurre dans une poêle, sur feu moyen.	5	Faire frire le pain ou la brioche dans le beurre chaud, à peu près 3 minutes d'un côté.	6	Le retourner, cuire encore 3 minutes, saupoudrer de sucre et de cannelle puis manger aussitôt.

LE CHEESECAKE

POUR 6 PERSONNES • PRÉPARATION : 30 MINUTES • CUISSON : 55 MINUTES • REPOS : UN JOUR OU DEUX

150 g de biscuits sablés
50 g de beurre
50 g de noix de coco râpée
750 de fromage frais type Saint-Moret
150 g de sucre
2 cuillerées à soupe de farine
2 citrons verts zestés et pressés
1 citron jaune
4 œufs et 125 g de crème fraîche épaisse
1 gousse de vanille

AU PRÉALABLE :
Préchauffer le four à 180 °C.

1 2

3 4

1	Mettre les biscuits dans un sachet plastique et les écraser au rouleau à pâtisserie.	2	Faire fondre le beurre et le mélanger avec les miettes de biscuit et la noix de coco.	
3	Tasser le mélange dans un moule à manqué. Enfourner pour 10 minutes.	4	Sortir du four et baisser la température à 140 °C.	➢

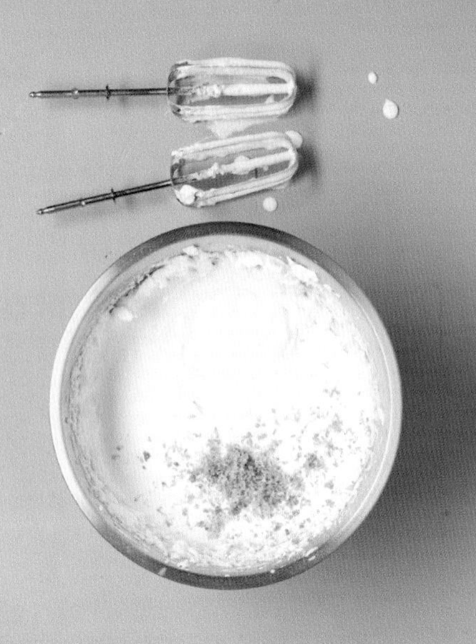

5 6

7 8

5	Battre le fromage pour le lisser, pas trop longtemps, dans le bol d'un robot ou au fouet à main. Incorporer le sucre, puis la farine, les zestes, le jus.	6	Ajouter les œufs un par un.
7	Ajouter la crème fraîche.	8	Verser dans le moule et enfourner pour 45 minutes à 1 heure : les bords doivent être fermes mais le milieu encore un peu tremblotant.

9	Laisser reposer 1 heure dans le four éteint. Laisser refroidir hors du four. Démouler, puis placer au frigo jusqu'au lendemain.	**SERVICE** Servir ce gâteau garni d'un coulis de framboises ou du lemon curd (en pot).

OPTION

☛ Servir un ou deux jours après la préparation, c'est meilleur.

VARIANTE

On peut faire une version un peu plus aérée en séparant les blancs des jaunes, en mettant les jaunes puis tout à la fin les blancs battus en neige.

LE FAR AUX PRUNEAUX

POUR 4 PERSONNES • PRÉPARATION : 10 MINUTES • CUISSON : 40 MINUTES

4 œufs
75 g de farine
50 g de sucre + 1 cuillerée pour la sortie du four
200 ml de crème fraîche épaisse (ou de crème liquide légère pour une version plus light)
200 ml de lait
Une pincée de sel
25 g de beurre salé
1 cuillerée à soupe de rhum
350 g de pruneaux dénoyautés

AU PRÉALABLE :
Faire tremper les pruneaux dans le rhum.
Préchauffer le four à 200 °C.

1 2

3 4

1	Fouetter ensemble tous les ingrédients, à part les pruneaux et le rhum.	2	Beurrer un plat à four pas trop grand. Mettre les pruneaux (avec le rhum) et verser la préparation liquide dessus.
3	Faire cuire 40 minutes : la crème doit être prise, le dessus doré et levé.	4	Le far va s'affaisser en refroidissant, c'est normal. Saupoudrer d'un peu de sucre et servir tiède ou froid.

CLAFOUTIS AUX FRAMBOISES

VARIANTE DU FAR AUX PRUNEAUX

☛ Remplacer les pruneaux par 2 barquettes de framboises, et le rhum par quelques gouttes d'extrait naturel de vanille ou les graines d'une gousse de vanille.

CLAFOUTIS AUX ABRICOTS

VARIANTE DU FAR AUX PRUNEAUX

☛ Remplacer les pruneaux par 250 g d'abricots dénoyautés, frais ou surgelés, et le rhum par quelques gouttes d'extrait naturel de vanille ou les graines d'une gousse de vanille.

DES POMMES AU FOUR

⇝ POUR 4 PERSONNES • PRÉPARATION : 10 MINUTES • CUISSON : 40 MINUTES ⇜

8 à 12 pommes, de préférence des reinettes
40 g de beurre salé
Une gousse de vanille

AU PRÉALABLE :
Préchauffer le four à 190 °C.

1 2

3 4

1	Laver puis évider les pommes avec un couteau pointu ou un évide-pomme. Les mettre dans un plat à four.	2	Fendre la gousse de vanille en deux, la couper en morceaux puis planter un morceau dans chaque pomme avec un petit morceau de beurre.
3	Mettre au four pour environ 40 minutes. Sortir les pommes du four. Manger les pommes telles quelles avec un peu de crème fraîche ou avec du fromage blanc.	4	**POUR UNE COMPOTE** Prélever la chair avec une cuillère. Racler les morceaux de gousse de vanille pour récupérer les graines et les mélanger à la compote.

UN CRUMBLE POMMES-POIRES

POUR 4 PERSONNES • PRÉPARATION : 15 MINUTES • CUISSON : 35 MINUTES

Compote (voir recette 79)
Une gousse de vanille
3 poires
1 citron

150 g de farine
120 g de beurre salé
1 ou 2 cuillerées à soupe de sucre
2 cuillerées à soupe d'amandes effilées

De la crème fraîche pour servir

AU PRÉALABLE :
Préchauffer le four à 190 °C.

1 2 3

4 5 6

1	Mettre la farine et le beurre dans un grand saladier.	2	Frotter le beurre du bout des doigts pour obtenir des miettes.	3	Ajouter le sucre, mélanger.
4	Mettre la compote dans un plat à four. Répartir dessus les poires coupées en lamelles et arrosées de citron.	5	Répartir les « miettes » sur les fruits. Saupoudrer d'amandes.	6	Mettre au four pour 35 minutes Servir avec de la crème fraîche.

81

DES FRAISES BALSAMIQUES

POUR 4 PERSONNES • PRÉPARATION : 10 MINUTES • REPOS : MINIMUM 30 MINUTES

2 barquettes de fraises
3 cuillerées à soupe de sucre
3 cuillerées à soupe de vinaigre balsamique

1	Laver puis équeuter les fraises.	2	Mélanger le vinaigre balsamique et le sucre dans un saladier.
3	Couper les fraises en morceaux.	4	Mettre les fraises dans le saladier, mélanger délicatement, laisser reposer entre une demi-heure et une heure puis servir.

DES POIRES BELLE-HÉLÈNE

POUR 4 PERSONNES • PRÉPARATION : 15 MINUTES • CUISSON : 20 MINUTES

4 à 6 poires pas trop mûres, non abîmées, encore bien fermes
2 cuillerées à soupe de sucre
200 g de son chocolat préféré
2 cuillerées à soupe de crème fraîche
500 ml de glace à la vanille

AU PRÉALABLE :
Peler et évider les poires.

1	Faire chauffer une casserole d'eau avec le sucre. Lorsque l'eau frémit, mettre les poires et les laisser cuire environ 10 min, jusqu'à ce que la pointe d'un couteau s'y enfonce facilement.	2	Faire fondre le chocolat au bain-marie : le mettre dans un petit bol au-dessus d'une casserole d'eau frémissante, hors du feu.
3	Ajouter la crème au chocolat fondu.	4	Servir ensemble poire, chocolat et glace vanille.

UNE TARTE CHOCO-POIRES

POUR 4 PERSONNES • PRÉPARATION : 20 MINUTES • CUISSON : 40 MINUTES

4 poires
1 pâte brisée de 300 g (voir recette 08)
100 g de chocolat
125 ml de crème liquide

1 œuf
25 g de beurre
4 cuillerées à soupe de sucre

AU PRÉALABLE :
Préchauffer le four à 190 °C.

LA RECETTE EN KIT	OPTION
Beurrer le moule et le saupoudrer de deux cuillerées de sucre. Étaler la pâte dans le moule. Hacher le chocolat et le mettre sur la pâte. Éplucher les poires et les couper en tranches fines. Les arranger au-dessus du chocolat. Mélanger œuf, crème avec une cuillerée de sucre. Verser ce mélange sur le chocolat et les poires. Enfourner pour 30-35 minutes.	Saupoudrer du sucre restant et passer sous un gril très chaud pour caraméliser le dessus. **REMARQUES** ☛ Si l'on ne trouve pas de poires mûres, utiliser des poires au sirop ou, mieux, pocher soi-même les poires un peu vertes.

LES ANNEXES

GLOSSAIRE

TABLE DES MATIÈRES

INDEX DES RECETTES

INDEX PLUS DÉTAILLÉ

REMERCIEMENTS

GLOSSAIRE

AL DENTE
Expression italienne, décrivant la texture encore légèrement ferme d'un riz, d'un haricot vert ou d'une pasta, qu'on sent encore « sous la dent », pas trop cuits.

APPAREIL
C'est le nom donné à un mélange qui va ensuite cuire, par exemple, le mélange crème, lait, œufs pour une quiche, la pâte d'un gâteau...

ARRÊTES
On peut enlever les arrêtes d'un filet de poisson en tirant avec les doigts ou mieux, une pince à épiler qui ne sert plus qu'à ça.

BAIN-MARIE
Les aliments à cuire (ou simplement à chauffer) sont dans un récipient posé dans une casserole d'eau frémissante (elle-même soit sur le feu, soit hors du feu) : d'où une chaleur très douce, sans risque de brûler les ingrédients. Parfait pour faire fondre du chocolat par exemple, mais aussi pour émulsifier efficacement un mélange à base de jaunes d'œufs dans certaines recettes (sabayon, sauces).

BEURRE
Salé ou pas, c'est comme on préfère, même pour les gâteaux.

BLANCS EN NEIGE
Pour les réussir, il ne faut aucune trace de jaune dans les blancs, ni de gras quelconque dans le bol. Fouetter plus vite à la fin pour bien « serrer » les blancs et les rendre fermes avant de les incorporer dans la préparation choisie.

BOUILLON
Le meilleur est fait maison, mais à défaut, utiliser des cubes ou de la poudre. Les versions bio ont l'avantage de ne pas contenir d'exhausteurs de goût artificiels. Compter en moyenne un cube pour un demi-litre d'eau.

BOULGOUR
Blé concassé. Texture plus intéressante pour les salades que le couscous.

BRAISER
Cuire une viande, des légumes... dans un récipient couvert (une cocotte en général) à température très basse et dans un liquide (bouillon, eau, vin, cidre...).

CEVICHE
Plat sud-américain de poisson cru assaisonné avec du jus d'agrumes.

CHANTILLY
Pour l'obtenir, il suffit de fouetter de la crème liquide entière bien froide. Plus facile au batteur électrique mais faisable à la main. Sucrer à volonté et parfumer (vanille, Grand Marnier...)

CHAPELURE
L'acheter toute faite ou, meilleur, mixer du pain rassis au robot ou l'écraser au rouleau à pâtisserie. On peut faire de la chapelure avec du pain frais aussi, on aura une texture moins uniforme.

ÉCAILLER
Demander au poissonnier de le faire.

FAIRE REVENIR
Faire cuire sur feu modéré, dans une matière grasse, des aliments coupés en petits morceaux, en les remuant de temps en temps, pour les faire colorer.

LAIT DE COCO
En briquette, plus crémeux, il est plus agréable à utiliser qu'en boîte, où il tend à se « séparer ». Mais ce n'est pas grave, il suffit de le mélanger.

LÉGUMES RACINE
On les trouve de plus en plus sur les marchés d'hiver. D'aspect rebutant, ils sont faciles à cuisiner une fois nettoyés et épluchés, leur goût est délicieux.

MIETTES
C'est le début de la pâte brisée et des crumbles : l'idée est de frotter du bout des doigts du beurre coupé en morceaux dans la farine de manière à obtenir des miettes ou autrement dit, une espèce de sable pas très fin.

MIJOTER
Laisser cuire un plat à petit feu, à tout petit bouillon.

MOZZARELLA
La choisir de bufflonne, beaucoup plus savoureuse.

PANCETTA
Charcuterie italienne qui s'achète plutôt en tranches.

PANDORO
Un gros gâteau italien style panettone mais sans les raisins et fruits confits, disponible plutôt autour de Noël, utilisable comme génoise à imbiber pour les desserts.

POCHER
Plonger un ingrédient dans de l'eau frémissante, du lait, un sirop... pour le faire cuire. Par exemple, des poires, les blancs d'œufs pour l'île flottante, un œuf.

POITRINE FUMÉE
À préférer aux lardons déjà coupés.

RÉDUIRE
Faire diminuer de volume un liquide en le faisant bouillir.

RIZ
Pour le riz au lait et le risotto, choisir un riz à grains ronds (arborio, vialone nano...). Pour un pilaf, un riz à grain long comme le basmati, très parfumé.

RÔTIR
Faire cuire des ingrédients entiers ou en gros morceaux (viande, légumes, fruits, pavé de poisson) à découvert et sans liquide, la chaleur du four, avec rôtissoire ou non. Souvent on met un peu de matière grasse pour faire dorer et éviter de dessécher.

SAISIR
Poser un aliment (en général viande ou poisson) sur une poêle très chaude pour en cuire vivement un côté, puis l'autre.

SAUTER
Faire cuire rapidement, dans une poêle ou un wok, sur feu modéré à fort, avec en général un peu de matière grasse, des aliments coupés en petits morceaux, en les remuant avec un instrument ou en secouant la poêle.

VANILLE
Choisir la gousse (la fendre en deux et racler les graines avec un petit couteau) ou de l'extrait naturel. C'est bien meilleur.

TABLE DES MATIÈRES

1

LES CLASSIQUES

LES SALADES

BASIQUE

LES ŒUFS

STEAK & CO

2

PÂTES ET RIZ

LES SAUCES

LES PÂTES

LE RIZ

3

LES VIANDES

LES RÔTIS

ÇA MIJOTE

WORLD

4

LES POISSONS

LES CLASSIQUES

POÊLÉS

MARINÉS

5

LES LÉGUMES

SOUPES & CO

RÔTIS

BIEN CUITS

CRUS ET NATURE

6

LES DESSERTS

CRÈMEUX

GOÛTERS

GÂTEAUX

AUX FRUITS

INDEX DES RECETTES

INDEX PLUS DÉTAILLÉ

REMERCIEMENTS :

Merci à magimix pour le prêt des mixeurs et de la friteuse.
www.magimix.com
Service consommateurs : 01-43-98-36-36
magimix

Merci à la famille Lucano.

Shopping : Emmanuelle Javelle
Mise en page : Alexandre Nicolas
Relecture : Véronique Dussidour

ISBN : 978-2-501-05425-6
Codification : 4042149 /04
Dépôt légal : Janvier 2009
Imprimé en Espagne par Graficas Estella